寝ながら学べる構造主義

内田 樹

JN276361

文春新書

251

寝ながら学べる構造主義　目次

第三章　「四銃士」活躍す　その一
――フーコーと系譜学的思考　78

第四章　「四銃士」活躍す　その二
――バルトと「零度の記号」　113

まえがき

本書は入門者のための、平易に書かれた構造主義の解説書です。

私は「専門家のための」解説書や研究書はめったに買いません。つまらないからです。

しかし、「入門者のための」解説書や研究書はよく読みます。おもしろい本に出会う確率が高いからです。

「専門家のために書かれた解説書」には、「例のほらあれ……参ったよね、あれには（笑）」というような「内輪のパーティ・ギャグ」みたいなことが延々と書いてあって、こちらはその話のどこがおかしいのかさっぱり分からず、知り合いの一人もいないパーティに紛れ込んだようで、身の置きどころがありません。

それに対して、「入門者のために書かれた解説書」はとりあえず「敷居が低い」のが取り柄です。どんな読者でも「お客さま」として迎えようという態度がそこには貫かれています。

解説書におけるこの「敷居の高さの違い」はどこから来るのでしょう。

「内輪のパーティ」と、「だれでも参加自由のパーティ」の違いというだけなのでしょうか。それとも専門書と入門書では、書かれていることのクオリティが違うのでしょうか。

私は本質的な違いはそういうところにはないと思っています。

敷居の高さの違いは、「専門家のための書き物」は「知っていること」を軸に編成されているのに対し、「入門者のための書き物」が「知らないこと」を軸に編成されていることに由来する、と私は考えます。

専門家のための書き物は「知っていること」を積み上げてゆきます。

そこには、「周知のように」とか「言うまでもないことだが」とか「なるほど……ではあるが」というようなことばかり書いてあり、読むほうとしては「何が『なるほど』だ」と、しだいに怒りがこみ上げてきます。しかし、この怒りはゆえなきものではありません。私たちが苛立つのは、そこで「何か本質的なもの」が問われぬままに逸《そ》らされていると感じるからです。

それはTV中継で官僚の国会答弁を聞いているときの苛立ちにも似ています。官僚の答弁はたしかに専門的語彙《ごい》と専門的知見に満ちあふれていますが、「そもそも政府とは誰のためにあるものなのか」とか「市場とは何のことなのか」とか「国際世論とは誰の意見のことなのか」

といった、そこで現に語られている論題の根本になっているはずのことは決して問われることがありません。そういうおおもとのところに立ち帰って、現下の問題を根本的に検証しないとまずいんじゃないかと思うからこそ、私たちは官僚のつじつまは合っているけれど、誰に向かって語っているのか分からないような答弁を聞くといらいらしてくるのです。

それに対して、「よい入門書」は、「私たちが知らないこと」から出発します。

よい入門書は「私たちが知らないこと」から出発して、「専門家が言いそうもないこと」を拾い集めながら進むという不思議な行程をたどります。（この定義を逆にすれば「ろくでもない入門書」というものがどんなものかも分かりますね。「素人が誰でも知っていること」から出発して、「専門家なら誰でも言いそうなこと」を平たくリライトして終わりという代物です。私はいまそのような入門書の話をしているのではありません。）

よい入門書は、まず最初に「私たちは何を知らないのか」を問います。「私たちはなぜそのことを知らないままで今日まで済ませてこられたのか」を問います。

これは実にラディカルな問いかけです。

なぜ、私たちはあることを「知らない」のでしょう？　なぜ今日までそれを「知らずに」きたのでしょう。単に面倒くさかっただけなのでしょうか？

それは違います。私たちがあることを知らない理由はたいていの場合一つしかありません。

「知りたくない」からです。

より厳密に言えば「自分があることを『知りたくない』と思っていることを知りたくない」からです。

無知というのはたんなる知識の欠如ではありません。「知らずにいたい」というひたむきな努力の成果です。無知は怠惰の結果ではなく、勤勉の結果なのです。

嘘だと思ったら、親が説教くさいことを言い始めた瞬間にふいと遠い目をする子どもの様子を思い出して下さい。

子どもは、親が「世間話モード」から「説教モード」に切り替わる瞬間をしっかり見切って、即座に耳を「オフ」にします。教師に対しても、バイト先の店長に対しても同じです。子どもは「大人の説教」をひとことでも耳に入れないために、アンテナを張り巡らし、「説教」の兆候がないかどうか、不断の警戒を怠りません。たいへんな努力だと思いませんか？

もしも子どもが単に不注意で怠惰であるだけだったら、「ついうっかりして、親の説教を最後まで真剣に聞いてしまった」ということだって起こってよいはずです。でも、そんなことは絶対に起こりませんね。

あることを知らないというのは、ほとんどの場合、それを知りたくないからです。知らずに済ませるための努力を惜しまないからです。

ですから「私たちは何を知らないのか」という問いは、適切に究明されるならば、「私たちが必死になってそこから目を逸らそうとしているもの」を指示してくれるはずです。

例えば、医学の専門書にはさまざまな病気のさまざまな治療法が書いてありますが、「人はなぜ老いるのか」「人はなぜ死ぬのか」という問いは主題的には論じられません。だって、誰もその答えを知らないからです。そして、それこそ私たちがそこから目を逸らそうとしている当の問いだからです。

しかし、真にラディカルな「医学の入門書」があるとしたら、それはおそらく「人はなぜ死ぬか」という問いから始まるでしょう。そして「死ぬことの意味」や「老いることの必要性」について根源的な省察を行うはずです。病気の治療法や長寿法についての知識や情報は、そのあとに、その根源的な省察の上に基礎づけられるべきものだからです。

入門書は専門書よりも「根源的な問い」に出会う確率が高い。これは私が経験から得た原則です。「入門書がおもしろい」のは、そのような「誰も答えを知らない問い」をめぐって思考し、その問いの下に繰り返し繰り返しアンダーラインを引いてくれるからです。そして、知性がみずからに課すいちばん大切な仕事は、実は、「答えを出すこと」ではなく、「重要な問いの下にアンダーラインを引くこと」なのです。

知的探求は（それが本質的なものであろうとするならば）、つねに「私は何を知っているか」ではなく、「私は何を知らないか」を起点に開始されます。そして、その「答えられない問い」、時間とは何か、死とは何か、性とは何か、共同体とは何か、貨幣とは何か、記号とは何か、交換とは何か、欲望とは何か……といった一連の問いこそ、私たちすべてにひとしく分かち合われた根源的に人間的な問いなのです。

入門書が提供しうる最良の知的サービスとは、「答えることのできない問い」、「一般解のない問い」を示し、それを読者一人一人が、自分自身の問題として、みずからの身に引き受け、ゆっくりと嚙みしめることができるように差し出すことだと私は思っています。

さて、この本が「入門者のために書かれた構造主義の平易な解説書」である、というのは、以上のような了解を踏まえた上での「名乗り」であります。

これまでの説明でお分かりいただけたでしょうが、この本は「私が知っていること」よりむしろ「私が知らないこと」を中心に書かれています。

というのは、「私が知っていること」にはかなり私の個人的な趣味嗜好による偏向がありますが、「私が知らないこと」、つまり「私がそれと取り組むことを避けてきた、一般解のない問い」は、二〇世紀後半の日本社会を生きてきたおおかたの日本人読者と共通するもののように思えるからです。

それにしても、「自分の知らないこと」をたねにして本を書いたりしてよいものか、というご疑念が出されるのもごもっともです。しかし、「自分の知らないこと」を本に書くのは「あり」です。

なにしろ「知らない」ことを調べながら書く自転車操業ですから、どの主題についても、噛み砕きにくい概念や理論については、「ついさきほど、『あ、なるほど、そういうことね』と膝を打った」という「出来たてほやほや」の状態にあります。ついいましがた自分が通り抜けたばかりの論理的な難所についてご案内するわけです。これは『地球の歩き方』を読むときには、現地に三代前から住んでいる人の情報よりも、さきほどそこを旅行してきたばかりの人の情報のほうが、旅行者にとっては「使い勝手がよい」というのと同じです。

本書のもとになったのは、ある市民講座で行った講義のノートです。この市民講座の聴講生はフランス現代思想についても哲学史についても、ほとんど予備知識のない市民のみなさんで、平均年齢は六十歳（最年長の方は八十二歳）、講義は一回きりで、持ち時間は九十分というものでした。

いくら向学心旺盛とはいえ、予備知識ぬきの聴講生に、構造主義についてとりあえず一覧的な情報を一時間半でお伝えするというのはなかなか骨の折れる仕事です。

とりあえず、「分かりやすく」ということを目標にして講義ノートを書きました。

ただし、「分かりやすい」というのは決して「簡単」という意味ではありません。「分かりやすい」と「簡単」は似ているようで違います。どちらかというと、私はむしろ「話を複雑にする」ことによって、「話を早く進める」という戦術を採用しています。

思想史を記述する場合、ある哲学上の概念を一義的に定義しないと話が先へ進まないということはありません。「主体」や「他者」や「欲望」といったような基本的な概念については、その定義について学界内部的な合意形成ができているわけではありません。ですから、「『他者』とはこれこれこういうものである」「何を言うか、『他者』とはこれこれのものである」というような教条的な議論につきあっているのは時間の浪費です。

「『他者』といったら、まあ『他の人』だわな」くらいのゆるやかな了解にとどめておいて、とりあえず話を先へ進めたいと私は考えております。

私がめざしているのは、「複雑な話」の「複雑さ」を温存しつつ、かつ見晴らしのよい思想史的展望を示す、ということです。

構造主義という思想がどれほど難解とはいえ、それを構築した思想家たちだって「人間はどういうふうにものを考え、感じ、行動するのか」という問いに答えようとしていることに変わりはありません。ただ、その問いへの踏み込み方が、常人より強く、深い、というだけのことです。ですから、じっくり耳を傾ければ、「ああ、なるほどなるほど、そういうことって、たしかにあるよね」と得心がゆくはずなのです。なにしろ、彼らがその卓越した知性を駆使して解明せんとしているのは、他ならぬ「私たち凡人」の日々の営みの本質的なあり方なのですから。

まえおきは以上で終わりです。では、本論に入りましょう。

第一章　先人はこうして「地ならし」した
――構造主義前史

1　私たちは「偏見の時代」を生きている

まず最初は歴史的な解説です。どういう思想史的な文脈の中で構造主義は誕生したか。それについてご説明しようと思います。

思想史的な区分によりますと、いま私たちが生きている時代は「ポスト構造主義の時代」と呼ばれています。「ポスト」というのは「……以後」を意味するラテン語です。つまり、いまは「構造主義以後期」ということになります。

これはどういうことを意味しているのでしょうか。「ポスト構造主義」ということは、「構造主義が支配的な、あるいは有効な思考形式である時代は終わった」ということなのでしょうか。

私はそう思いません。

「ポスト構造主義期」というのは、構造主義の思考方法があまりに深く私たちのものの考え方や感じ方の中に浸透してしまったために、あらためて構造主義者の書物を読んだり、その思想を勉強したりしなくても、その発想方法そのものが私たちにとって「自明なもの」になってしまった時代（そして、いささか気ぜわしい人たちが「構造主義の終焉《しゅうえん》」を語り始めた時代）だというふうに私は考えています。

構造主義の思考方法は、いまや、メディアを通じて、学校教育を通じて、日常の家族や友人たちとの間でかわされる何気ない会話を通じて、私たちのものの考え方や感じ方を深く律しています。それがどんなふうに私たちの思考や経験を「律している」のか、その具体的な事例は次章以下でくわしく見てゆくことにします。

そんな「自明なもの」をあらためて研究することに意味があるのだろうか、とお考えの方もおられるかも知れません。

もちろん意味はあるのです。むしろ、「自明なもの」だからこそ取り上げる意味があるのです。

というのは、学術に託されたたいせつな仕事の一つは、私たちにとって、「自明のもの」であり「自然のもの」であり、「そんなの常識」として受容されているような思考方法や感受性のあり方が、実は、ある特殊な歴史的起源を有しており、特殊な歴史的状況の中で育まれたものだ、ということを明らかにすることだからです。

いまの私たちにとって「ごく自然」と思われているふるまいは、別の国の、別の文化的バックグラウンドをもっている人々から見れば、ずいぶん奇矯《ききょう》なものと映るでしょう。(だから「ここがヘンだよ日本人」というような批判的コメントがほとんど無限に提出できるわけです。)

それどころか、同じ日本人であっても、地域が変わり、世代が変われば、同一の現象についての評価は一変します。半世紀後の日本人から見たら、いまの私たちが何気なく実践している考え方やふるまい方の多くは、「二一世紀はじめころの日本社会に固有の奇習」として回想されるに違いありません。

ですから、いま、私たちがごく自然に、ほとんど自動的に行っている善悪の見きわめや美醜の判断は、それほど普遍性をもつものではないかも知れない、ということをつねに忘れないことがたいせつです。それは言い換えれば、自分の「常識」を拡大適用しないという節度を保つことです。

私たちにとって「ナチュラル」に映るのは、とりあえず私たちの時代、私たちの棲む地域、私たちの属する社会集団に固有の「民族誌的偏見」にすぎないのです。

そういうふうに考えると、「ポスト構造主義期」を生きている私たちは、「構造主義を『常識』とみなす思想史上の奇習の時代」を生きているということになります。

そのような時代は、（あとで見るように）比較的最近始まったものであり、当然、いずれ終わりが来ます。しかし、私たちはいまのところは「構造主義が常識である時代」にとどまっており、そこからの決定的な踏み出しは未だなされてはいません。

なぜでしょう。

それは、いま私がしているような「問題の立て方」そのものが「構造主義的な」問題の立て方以外の何ものでもないからです。（話がややこしくて、すみません。）

ご説明しましょう。

「私たちはつねにあるイデオロギーが『常識』として支配している、『偏見の時代』を生きている」という発想法そのものが、構造主義がもたらした、もっとも重要な「切り口」だからなのです。

つまり、構造主義という「思考上の奇習」についての批判的省察を行うときに、そのための学術的「ツール」として私たちがとりあえず使えるものは、構造主義しかないのです。

構造主義的知見を利用することなしには、構造主義的知見を批判的に省察することができないという出口のない「無限ループ」の中に私たちは封殺されています。この「ループの中に閉じ込められている」というのが「あるイデオロギーが支配的な時代を生きている」ということです。

これに類する事例としては、「マルクス主義の用語を使わないと、マルクス主義的知見を内在的に批判することはできない」と信じられていた時代が少し前まであったことを思い出して下さい。

例えば、一九七〇年代にマルクス主義の運動を批判するとき、「マルクス主義？　知らないねえ、何かね、それは？」というような言い方は許されませんでした。批判者に許されたのは、マルクス主義を掲げる思想や運動がマルクスに照らして、いかに「十分にマルクス主義的」でないかを論証することだけでした。（つねに、より「革命的」で、より「ラディカル」で、より「人民の大義」に貢献するような理説の名において、既存の制度や運動は批判されたのです。）

ですから、ソ連東欧の社会主義体制が次々と崩落したときでさえ、当時の左翼知識人は口を揃えて「失敗した社会主義は『真の社会主義』ではない。『真の社会主義』はただいまも粛々と建設中である」と語ることができたのでした。

「マルクス主義が支配的なイデオロギーであった時代」というのは、みんながマルクスの本を読んでいた時代のことではありません。そうではなく、マルクス主義思想や運動についての批判的記述が、もっぱらマルクス主義の用語や概念を使ってしか試みられないことを誰も「変だ」と思わなかった時代のことです。

あるイデオロギーが「支配的である」というのは、そういうことです。

マルクス主義の場合は、「もう、そのことばづかい、止めません?」ということがなんとなく集団的な了解に達したときに、「支配的なイデオロギー」であることを止めました。別に、誰かがマルクス主義を根底的に批判し切ったとか、歴史的経験がマルクス主義の不可能性を告知したからではありません。(マルクスの知見はこれまでも、これからもおそらくつねに有効です。) そうではなくて、単にみんなが「マルクス主義的にしゃべるのに飽きた」というだけのことです。

構造主義についても同じことが起こるだろうと私は思います。

いまのところ私たちは「構造主義の用語を使わないと、構造主義の成り立ち方を説明することができない」ループの中に封じ込められています。しかし、いずれ構造主義特有の用語(システム、差異、記号、効果……)を使って話すことに「みんなが飽きる」ときがやってきます。それが「構造主義が支配的なイデオロギーだった時代」の終わるときです。

本書はそのような構造主義の時代の「終わりの始まり」を示す徴候の一つとみなしていただければよいかと思います。私は別に進んで構造主義の「死期」を早めるためにこの本を書いているわけではありませんが、本書を読み終わったころには、おそらく読者のみなさんは、「システム」とか「差異」とかいうことばにかなりうんざりし始めているでしょう。

2　アメリカ人の眼、アフガン人の眼

同時多発テロ事件のあとアメリカによるアフガン空爆が始まりました。

そのとき、「アメリカの立場」から一方的にものを見ないで、「爆撃され、家を焼かれ、傷つき、殺されているアフガンのふつうの人たち」の気持になって、この戦争を考えたら、ずいぶん違った風景が見えてくるだろうという意見が多くのメディアで紹介されました。同じことを新聞の社説でも投書でも知識人や政治家のインタビューでも多くの人が口にしました。

戦争や内乱や権力闘争について、コメントするときに、一方的にものを見てはいけない。なぜなら、アフガンの戦争について「アメリカ人から見える景色」と「アフガン人から見える景色」はまったく別のものだからだ、ということは私たちにとって、いまや「常識」です。

しかし、この常識は実はたいへん「若い常識」なのです。

このような考え方をする人はもちろん一九世紀にもいましたし、一七世紀のヨーロッパにもいました。遡れば、遠く古代ギリシャにもいました。しかし、そういうふうに考える人は驚くほど少数でした。そのような考え方をする人、あるいはそのような考え方を受け容れられる人が国民の半数以上に達して、「常識」になったのは、ほんのこの二十年のことです。

例えば、いまから三十年ほど前、アメリカはベトナム戦争でみじめな敗北を経験しましたが、

その当時、「アメリカ人から見たベトナムの風景」と「ベトナム人から見たベトナムの風景」は違うというようなことは、ほとんどアメリカ国民の脳裏に浮かびませんでした。アメリカにとって、ベトナムは「ドミノ理論」という数式的な世界戦略の中での「ドミノ」のコマの一つに過ぎず、「生身のベトナム人はアメリカのアジア戦略をどう評価しているのだろうか」というようなことを真剣に配慮している政治家はほとんど存在しませんでした。

そのさらに三十年前、当時の大日本帝国臣民にとって、「日本人から見た満州国」と「中国人から見た満州国」が別様に見えるというようなことは少しも「常識」ではありませんでした。「中華民国の人々から見た満州国の評価」を尊重しつつわが国のアジア外交は展開され立案すべきだというようなことを説いた日本人はほとんどいませんでした。

A国人とB国人は同じ一つの政治的事件について違う評価をするということは「事実」としてはもちろん誰にだって理解できます。しかし、ABそれぞれの国民のものの見方はとりあえず「等権利的」であり、いずれかが正しいということはにわかには判定しがたいという意見を公言した人は、世界中どこでも、近年まで、ほんとうに少数だったのです。

ヨーロッパでも事情はそれほど変わりません。

一九五〇年代のアルジェリア戦争のとき、ジャン＝ポール・サルトルは「フランスの帝国主義的なアルジェリア支配」をきびしく断罪しました。サルトルが「フランス人のものの見方」

を相対化したことは確かです。しかし、サルトルは「アルジェリア人民の民族解放の戦いは断固正しい」と言ったわけであって、フランス政府の言い分にもひとしく配慮したわけではありません。

国際的紛争においては、抗争している当事者のうちどちらか一方に「絶対的正義」があるはずだ、というのがその時代の「常識」であり、その「常識」はサルトルにおいても、少しも疑われてはいませんでした。

この時期に「フランスとアルジェリアの言い分のいずれが正しいかは、私には判定できない。どちらにも一理あるし、どちらも間違っている……」と正直に語ったフランス知識人は、私の知る限り、アルベール・カミュただ一人でした。そしてカミュはこのときほとんど孤立無援だったのです。

それがどうでしょう。

「ジョージ・ブッシュの反テロ戦略にも一理あるが、アフガンの市民たちの苦しみを思いやることも必要ではないか」というのは、街頭でいきなりTVにインタビューされた場合にとりあえず無難な「模範解答」です。人々はまるで判で押したように同じことを言います。「とりあえず無難」とみんなが思っている意見のことを「常識」というのです。そして、このような意見が「常識」になったのは、ほんとうにごく最近のことなのです。

世界の見え方は、視点が違えば違う。だから、ある視点にとどまったままで「私には、他の人よりも正しく世界が見えている」と主張することは論理的には基礎づけられない。私たちはいまではそう考えるようになっています。このような考え方の批評的な有効性を私たちに教えてくれたのは構造主義であり、それが「常識」に登録されたのは四十年ほど前、一九六〇年代のことです。

構造主義というのは、ひとことで言ってしまえば、次のような考え方のことです。

私たちはつねにある時代、ある地域、ある社会集団に属しており、その条件が私たちのものの見方、感じ方、考え方を基本的なところで決定している。だから、私たちは自分が思っているほど、自由に、あるいは主体的にものを見ているわけではない。むしろ私たちは、ほとんどの場合、自分の属する社会集団が受け容れたものだけを選択的に「見せられ」「感じさせられ」「考えさせられている」。そして自分の属する社会集団が無意識的に排除してしまったものは、そもそも私たちの視界に入ることがなく、それゆえ、私たちの感受性に触れることも、私たちの思索の主題となることもない。

私たちは自分では判断や行動の「自律的な主体」であると信じているけれども、実は、その自由や自律性はかなり限定的なものである、という事実を徹底的に掘り下げたことが構造主義という方法の功績なのです。

3 マルクスの地動説的人間観

自分の思考や判断にはいったいどれくらいの客観性があるのだろうか、ということを反省した人は昔からたくさんいました。

世界は自分の目に見えているのと同じように他のすべての人にとっても見えているのだろうか。自分にとって「自明」であることは、他の人にとっても等しい確実性をもって自明なのだろうか。このような懐疑は哲学の出発点ですから、プラトンも、デカルトも、カントもみなそのような懐疑からそれぞれの哲学を出発させました。

しかし、この懐疑は、もっぱら、アームチェアに坐って、パイプをくゆらしながら進められる純粋に思弁的なものにとどまっていました。そのような懐疑が、思索している当の哲学者自身の日常の生き方にじかに反映して、その人の生活を一変させ、その人をとりまく世界を変える、というようなことはあまり起こらなかったのです。

自分の思考や判断はどんな特殊な条件によって成り立たせられているのか、という問いをつきつめ、それを「日常の生き方」にリンクさせる道筋を発見した最初の例は、カール・マルクス（Karl Marx 一八一八～八三）の仕事です。意外に思われるかも知れませんが、構造主義の源流の一つは紛れもなくマルクスなのです。

マルクスは社会集団が歴史的に変動してゆくときの重大なファクターとして、「階級」に着目しました。マルクスが指摘したのは、人間は「どの階級に属するか」によって、「ものの見え方」が変わってくる、ということです。この帰属階級によって違ってくる「ものの見え方」は「階級意識」と呼ばれます。

ブルジョワとプロレタリアは単に生産手段を持っているか否かという外形的な違いで区別されるだけでなく、その生活のあり方や人間観や世界の見え方そのものを異にしています。

人間の中心に「人間そのもの」──普遍的人間性──というものが宿っているとすれば、それはその人がどんな身分に生まれようと、どんな社会的立場にいようと、男であろうと女であろうと、大人であろうと子どもであろうと、変わることはないはずです。マルクスはそのような伝統的な人間観を退けました。人間の個別性をかたちづくるのは、その人が「何ものであるか」ではなく、「何ごとをなすか」によって決定される、マルクスはそう考えました。「何ものであるか」というのは、「存在する」ことに軸足を置いた人間の見方であり、「何ごとをなすか」というのは「行動すること」に軸足を置いた人間の見方である、というふうに言い換えることができるかも知れません。

「存在すること」とは、与えられた状況の中でじっと静止しており、自然的、事物的な存在者という立場に甘んじることです。静止していることは「堕落すること、禽獣《きんじゅう》となることである」という考え方、これをマルクスはヘーゲルから受け継ぎました。たいせつなのは「自分のありのままにある」に満足することではなく、「命がけの跳躍」を試みて、「自分がそうありたいと願うものになること」である。煎じ詰めれば、ヘーゲルの人間学とはそういうものでした。(このヘーゲルの人間理解は、マルクス主義から実存主義を経由して構造主義に至るまで、ヨーロッパ思想に一貫して伏流しています。)

「普遍的人間性」というようなものはない。仮にあったとしても、それは現実の社会関係においては、「現状肯定」――「存在すること、行動しないこと」を正当化するイデオロギーとしてしか機能しない。マルクスはそう考えました。人間は行動を通じて何かを作り出し、その創作物が、その作り手自身が何ものであるかを規定し返す。生産関係の中で「作り出したもの」を媒介にして、人間はおのれの本質を見て取る、というのがマルクスの人間観の基本です。

「動物は単に直接的な肉体的欲求に支配されて生産するだけ」に過ぎませんが、人間は食べたり飲んだり眠ったりという直接的な生理的欲求を超えて、狩猟し、採取し、栽培し、交易し、産業を興し、階級を生み出し、国家を創建します。それは人間が動物的な意味で生きてゆくためにはもとより不要のものです。人間がそのような「もの」を作り出すのは、「作られたもの」が人間に向かって、自分が「何ものであるか」を教えてくれるからです。人間は「彼によって創造された世界の中で自己自身を直観する」のです。(『経済学・哲学草稿』)

人間は生産＝労働を通じて、何かを作り出します。そうして制作された物を媒介にして、いわば事後的に、人間は自分が何ものであるかを知ることになります。ちょうど透明人間の輪郭は彼が通過して割れたガラス窓の割れ具合からしか知られないように。

この「作り出す」活動は一般に「労働」と呼ばれます。マルクスはこの労働を通じての自己規定という定式をヘーゲルから受け継ぎました。

ヘーゲルによれば、「人間が人間として客観的に実現されるのは、労働によって、ただ労働によってだけ」です。人間が「自然的存在者以上のもの」であるのは、ただ「人為的対象を作り出した後」だけです。

動物は自然的存在者である状態に自足して生きています。ですから「おのれが何ものであるか」「おのれの生きる意味は何か」というような問いを立てることがありません。（実際に動物に訊ねたことがないので、断言はできませんが。たぶんそうだと思います。）

たしかに、動物も人間と同じように存在の欠如を感じることがあるでしょう（空腹とか生殖の欲望とか）。しかし、その欲望の対象は自然的、生物的、物質的なものに限定されており、欲望の充足とともに、動物は「所与としての自己」への深い自足のうちにふたたび戻ります。動物は、「所与としての自己」、あるがままのおのれと、「あるべきおのれ」とのあいだの乖離《かいり》感に苦しむということがありません。（たぶん。）

「動物は自己について語ること、『我は……』と言うことができない」とヘーゲルは考えます。あるがままの自己を「超越」して、「自己を自己自身以上に高め」る、というような野心的なアイディアはおそらく動物の頭脳には浮かびません。(「空の飛び方」を習得した猫とか、飛翔法の改善を企てるカモメとかを描いた「お話」はありますが、もちろんこういうのは作家の作り出した「寓話」に過ぎません。)

動物は自己意識を持ちません。

ヘーゲルの言う「自己意識」とは、要するに、いったん自分のポジションから離れて、そのポジションを振り返るということです。自分自身のフレームワークから逃れ出て、想像的にしつらえた俯瞰《ふかん》的な視座から、地上の自分や自分の周辺の事態を一望することです。人間は「他者の視線」になって「自己」を振り返ることができますが、動物は「私の視線」から出ることができないので、ついに「自己」を対象的に直観することができないのです。

想像的に鳥になってみれば分かるはずですが、地表から高く飛び上がれば飛び上がるほど、地上にいる「私」についての情報は増えます。「私」が空間的な布置のどこに位置を占めていて、どのような機能を果たしているのか、何を生み出し、何を破壊し、何を育み、何を損なっているのか……。想像的に確保された「私」からの距離、それが自己認識の正確さを保証します。「人間は彼によって創造された世界の中で自己自身を直観する」というマルクスのことばはそのように解釈するべきでしょう。

ヘーゲルもマルクスも、この自己自身からの乖離＝鳥瞰《ちょうかん》的視座へのテイク・オフは、単なる観想（一人アームチェアに坐って沈思黙考すること）ではなく、生産＝労働に身を投じることによって、他者とのかかわりの中に身を投じることによってのみ達成されると考えました。つまり「労働するものだけが、『私は』ということばを口にすることができる」ということになります。

生産＝労働による社会関係に踏み込むに先んじて、あらかじめ本質や特性を決定づけられた「私」は存在しません。存在するのかも知れませんが、定義上、そのような「私」は決して私自身によって直観されることがありません。というのも、「私を直観する」ことは、他人たちの中に投げ入れられた「私」を風景として眺めることによってしか成就しないからです。（それは、子どものいない人に内在する「親の愛」や、弟子を持たない先生に内在する「師としての威徳」とかと同じものです。潜在的にはあるのかも知れませんが、現実の人間関係の中に置かれないかぎり、それが「ほんとうにあるのかどうか」を検証する手だてはありません。）

私たちは自分が「ほんとうのところ、何ものであるのか」を、自分が作り出したものを見て、事後的に教えられます。私が「何ものであるのか」は、生産＝労働のネットワークのどの地点にいて、何を作り出し、どのような能力を発揮しており、どのような資源を使用しているのかによって決定されます。

自己同一性を確定した主体がまずあって、それが次々と他の人々と関係しつつ「自己実現する」のではありません。ネットワークの中に投げ込まれたものが、そこで「作り出した」意味や価値によって、おのれが誰であるかを回顧的に知る。主体性の起源は、主体の「存在」にではなく、主体の「行動」のうちにある。これが構造主義のいちばん根本にあり、すべての構造主義者に共有されている考え方です。それは見たとおり、ヘーゲルとマルクスから二〇世紀の思考が継承したものなのです。

ネットワークの中心に主権的・自己決定的な主体がいて、それがおのれの意思に基づいて全体を統御しているのではなく、ネットワークの「効果」として、さまざまのリンクの結び目として、主体が「何ものであるか」は決定される、というこの考え方は、「脱−中心化」あるいは「非−中枢化」とも呼ばれます。

中枢に固定的・静止的な主体がおり、それが判断したり決定したり表現したりする、という「天動説」的な人間観から、中心を持たないネットワーク形成運動があり、そのリンクの「絡み合い」として主体は規定されるという「地動説」的な人間観への移行、それが二〇世紀の思想の根本的な趨勢である、と言ってよいだろうと思います。

4　フロイトが見つけた「無意識の部屋」

マルクスと並んで構造主義の源流にはもう一人のユダヤ人学者の名前を挙げなければなりません。ジグムント・フロイト（Sigmund Freud 一八五六～一九三九）です。

マルクスは人間の思考を規定するものとして、人間を巻き込む生産＝労働の関係に着目しましたが、フロイトは逆に、人間のいちばん内側にある領域に着目します。人間が直接知ることのできない心的活動が人間の考えや行動を支配している、フロイトはそんなふうに考えました。この「当人には直接知られず、にもかかわらずその人の判断や行動を支配しているもの」、それが「無意識」です。

フロイトは彼自身の臨床例に基づいて、単純な言い間違い、書き間違い、物忘れといった日常的な失錯行為から始めて、強迫神経症やヒステリーに至るまで、すべての心的な症状は、その背後に「患者本人が意識することを忌避している、無意識的な過程」が潜在している、という仮説を立てました。フロイトの貢献はマルクスと深いところで通じています。それは「人間は自分自身の精神生活の主人ではない」ということです。

フロイトは心理学の目的を「自我はわが家の主人であるどころか、自分の心情生活の中で無意識に生起していることについては、わずかばかりの報告をたよりにしているに過ぎないのだ、ということを実証」することである、と書いています。(『精神分析入門』)

マルクスは人間は自由に思考しているつもりで、実は階級的に思考している、ということを看破しました。フロイトは人間は自由に思考しているつもりで、実は自分が「どういうふうに」思考しているかを知らないで思考しているということを看破しました。自分がどういうふうに思考しているか思考の主体は知らない、という事実をもっとも鮮やかに示すのがフロイトの分析した「抑圧」のメカニズムです。

ある心的過程を意識することが苦痛なので、それについて考えないようにすること、単純に言えば、それが抑圧です。フロイトはこのメカニズムを「二つの部屋」とそのあいだの敷居にいる「番人」という卓抜な比喩で語りました。

「無意識の部屋」は広い部屋でさまざまな心的な動きがひしめいています。もう一つの「意識の部屋」はそれより狭く、ずっと秩序立っていて、汚いものや危ないものは周到に排除されており、客を迎えることができるサロンのようになっています。そして、「二つの部屋の敷居のところには、番人が一人職務を司っていて、個々の心的興奮を検査し検閲して、気に入らないことをしでかすとサロンに入れないようにします。」(『精神分析入門』)

フロイトはこの番人の機能を「抑圧」と名づけました。

フロイトが発見したのは、第一に、私たちは自分の心の中にあることはすべて意識化できるわけではなく、それを意識化することが苦痛であるような心的活動は、無意識に押し戻されるという事実です。私たちの「意識の部屋」には番人が許可したものしか入れないのです。

この機制は二種類の無知によって構成されています。一つは、「番人」がいったい「どんな基準で」入室してよいものといけないものを選別しているのか、私たちは知らないということ。いま一つは、そもそも「番人」がそこにいて、チェックをしているということ自体、私たちは知らないということです。この構造的な「無知」によって、私の意識は決定的な仕方で思考の自由を損なわれています。

抑圧の及ぼす「無知の効果」について、分かりやすい例を一つ挙げましょう。狂言の『ぶす』というお話です。みなさんご存知でしょうが、こんなお話です。

主人が、太郎冠者と次郎冠者に貴重品である砂糖つぼを委《ゆだ》ねて外出することになります。留守中に盗み食いをされてはたまらないので、主人は二人にこれは「ぶす」というたいへんな毒物であるから、決して近づかぬようにと釘を刺して出かけます。

最初は「ぶす」のほうから吹く風にも怯《おび》えていた二人ですが、やがて好奇心に負けて「ぶす」のふたを開けてしまいます。そこから漂う芳香につられて、口のいやしい太郎冠者は制止もきかず「ぶす」をなめてしまいます。そして「ぶす」が砂糖であることを発見します。二人でぺろぺろなめているうちに砂糖つぼは空になってしまいます。

始末に窮した太郎冠者は一計を案じ、二人で主人秘蔵の掛け軸を破り、皿を砕くことにしました。

帰宅して散乱した家の中をみて唖然とする主人に、太郎冠者はこう説明します。

「お留守のあいだに眠ってはいけないと、次郎冠者と相撲をとっておりましたら、勢い余って、あのように家宝の品々を壊してしまいました。これではご主人に会わせる顔がない、二人で『ぶす』を食べて死んでお詫びを、と思ったのですが、いくら食べても、さっぱり死ねず……」

この笑劇は「抑圧」とはどういうメカニズムかを実にみごとに物語っています。

主人公は太郎冠者です。彼の前に散乱している空になったぶすの壺、打ち壊された家宝、青ざめている主人……それらがとりあえず「さまざまな心的過程」です。太郎冠者の意識と無意識のあいだにはちゃんと「太郎冠者専用の番人」がいすわっていて、これらの「さまざまな心的過程」の断片のうちから、「意識化するのが苦痛である断片」が太郎冠者の「サロン」に入室することを防いでいます。「番人」はあれこれの心的過程のうち、太郎冠者にとって不快ではない情報だけに意識化を許し、意識すると不愉快になるような心的過程は「無意識の部屋」に取り残されます。

目の前には、壊れた家宝と、からっぽになった砂糖つぼがあります。これを太郎冠者は「(命令遵守《じゅんしゅ》のための相撲による）家財の破壊と引責自殺の試み」という「忠義の物語」に編集します。実際に起きたのとは時間の順逆が狂っているのですが、もうどちらも過ぎてしまったことですから、タイムマシンがない以上、太郎冠者が真実を語っているのか嘘をついているのかは主人には確かめようがありません。

太郎冠者はまさしくそう考えました。無秩序に散乱した「断片」がそこにあるとき、そこから可能性としては、どんな物語でも編み上げることができる。太郎冠者の創造した物語が虚偽で、主人の想像した物語が真実であると言い切れるものはどこにもいないのだ、と。

しかし、太郎冠者の完全犯罪は成就しません。狂言の舞台では主人は瞬時のうちに太郎冠者の奸計を見破り、「遣《や》るまいぞ、遣るまいぞ」と追い回し、笑いのうちに劇は終わります。

なぜ、太郎冠者の偽装工作は一瞬のうちに見破られたのでしょう。

ここが抑圧メカニズムのかんどころです。

『ぶす』で私たちがこだわるべきなのは、「番人」は何を受け入れ、何を拒んだのかという問題です。というのも、太郎冠者の「番人」は「ある心的過程」の受け入れを拒み、結果的には、それが太郎冠者の失敗につながったからです。

太郎冠者の「番人」が入室を拒否して抑圧したのは「太郎冠者が嘘つきの不忠者であることを主人は知っている」という情報です。

太郎冠者は自分のことをあらゆる可能性を勘定に入れることのできる狡猾な人間だと思い込

んでいます。ところが、その太郎冠者は、「自分が嘘つきであることを主人は知っている」という可能性だけはみごとに勘定に入れ忘れたのです。

この太郎冠者の「構造的無知」は実は物語のはじめから私たちには知られていました。というのは、主人が砂糖を「毒だ」と言ってごまかそうとするのは、そうでも言わないと、太郎冠者はすぐに盗み食いをするに違いないということを主人は「知っていた」からです。太郎冠者が不忠者であることは物語の最初から太郎冠者以外の全員が知っており、太郎冠者だけが「みんながそれを知っていることを知らなかった」のです。

なぜ、そんなことが起こるのでしょう。

それは太郎冠者が主人を内心では侮《あなど》っているために、自分より愚鈍であるはずの主人に自分の下心が見抜かれているという可能性を認めるわけにゆかなかったからです。主人は自分より愚鈍であって「欲しい」という太郎冠者の「欲望」が、怜悧な彼の目をそこだけ曇らせたのです。こうして、「『太郎冠者が何ものであるかを主人は知っている』ということを太郎冠者は知らない」という構造的無知が成立することになります。これが「抑圧」という機制の魔術的な仕掛けです。

この無知は太郎冠者の観察力不足や不注意が原因で生じたのではありません。そうではなくて、太郎冠者はほとんど全力を尽くして、この無知を作り出し、それを死守しているのです。

無知であり続けることを太郎冠者は切実に欲望しているのです。

私たちは生きている限り、必ず「抑圧」のメカニズムのうちに巻き込まれています。そして、ある心的過程から組織的に眼を逸らしていることを「知らないこと」が、私たちの「個性」や「人格」の形成に決定的な影響を及ぼしています。

太郎冠者のタフで酷薄な性格は、実は彼の抑圧の効果なのです。だって、「太郎冠者が邪悪な人間であることを人々は知っている」という情報を太郎冠者自身が見落とし続けるという「構造的な無知」こそが太郎冠者の邪悪なキャラクターの成立を可能にしているからです。（当然ですよね、誰だって自分の邪悪な側面が「みんなに筒抜け」であると知っていたら、それを隠すか治すか、なんとかしますから。）

私たちは自分を個性豊かな人間であって、独特の仕方でものを考えたり感じたりしているつもりでいますが、その意識活動の全プロセスには、「ある心的過程から構造的に眼を逸らし続けている」という抑圧のバイアスがつねにかかっているのです。

私たちは自分が何ものであるかを熟知しており、その上で自由に考えたり、行動したり、欲望したりしているわけではない。これが前―構造主義期において、マルクスとフロイトが告知したことです。

マルクスは人間主体は、自分が何ものであるのかを、生産＝労働関係のネットワークの中での「ふるまい」を通じて、事後的に知ることしかできないという知見を語りました。フロイトは、人間主体は「自分は何かを意識化したがっていない」という事実を意識化することができないという知見を語りました。

どうも、時代が下るにつれて、人間的自由や主権性の範囲はどんどん狭くなってゆくようです。この流れを決定づけたもう一人の思想家をここで忘れずに紹介しておきましょう。

5 ニーチェは「臆断の虜囚」を罵倒する

マルクス、フロイトの同時代にはもう一人、人間の思考が自由ではないこと、人間はほとんどの場合、ある外在的な規範の「奴隷」に過ぎないことを、激烈な口調で叫び続けた思想家がおりました。フリードリヒ・ニーチェ（Friedrich Nietzsche 一八四四〜一九〇〇）がその人です。

私たちにとって自明と思えることは、ある時代や地域に固有の「偏見」に他ならないということをニーチェほど激しく批判した人はおそらく空前絶後でしょう。

ニーチェの基本的立場は次のことばに集約されています。

「われわれはいつもわれわれ自身にとって必然的に赤の他人なのだ。われわれはわれわれ自身を理解しない。われわれはわれわれ自身を取り違えざるを得ない。われわれに対しては『各人は各自に最も遠い者である』という格言が永遠に当てはまる。――われわれに対して、われわれは決して『認識者』ではないのだ。」（『道徳の系譜』）

ニーチェは、私たちは自分が何ものであるかを知らない、と言い切ります。それはヘーゲルのことばを使って言えば、「自己意識」を持つことができない存在だ、ということになります。（つまり動物と同レベルだ、ということです。）

どうしてこのような手厳しい批判が成り立つのか、その論脈を少していねいに押さえておきましょう。

ニーチェはもともと古典文献学者としてスタートした研究者です。古典文献学という学問はその研究者に特殊な心構えを要求します。それは、過去の文献を読むに際して、「いまの自分」の持っている情報や知識をいったん「カッコに入れ」ないといけない、ということです。そうしないと、現代人には理解も共感もできないような感受性や心性を価値中立的な仕方で忠実に再現することはできないからです。

ニーチェは異他的な精神の活動に偏見ぬきで共感する能力を、おそらく古典文献学を通じて体得したのだろうと思います。彼の卓越した共感能力は処女作である『悲劇の誕生』にすでにはっきりと示されています。

「芸術はアポロ的なものとディオニュソス的なものとの二重性によって進展してゆく」という有名なことばから始まるこのギリシャ文化論においてニーチェがめざしたのは、古代ギリシャ人が感じたであろう恐怖と陶酔を、彼自身がその内側から生き、追体験することでした。『悲劇の誕生』を書きつつあるニーチェはほとんど古代ギリシャ人になりきって、感激し、うち震えています。

例えば、『悲劇の誕生』で、ニーチェはギリシャ悲劇におけるコーラス（合唱隊）の分析を試みています。ここでニーチェは「コーラスは『理想的観客』である」という説を吟味して次のように書いています。

ふつう、演劇の観客は、舞台上で演じられている出来事は「事実ではない」ということをどんな場合でも意識にとどめています。それに対して、ギリシャ悲劇の中でのコーラスは、物語の単なる傍観者ではありません。出来事を眺めつつ、ときには出来事に驚愕《きょうがく》し、ときには舞台上の出来事に介入します。

「ギリシャ人の悲劇のコーラスは、舞台上の人物を生身の肉体をそなえた実在の人物と見なすよう強いられている。オケアノスの娘たちのコーラスは、巨人プロメテウスを目の前にながめているのだとほんとうに信じているし、自身、舞台の神と同様に実在の身であると考えているのである。」(『悲劇の誕生』)

ギリシャ悲劇のコーラスは、ですから、まるで登場人物のように、舞台上のドラマに巻き込まれ、叫び、泣き、笑い、その出来事を内側から「生きる」ことになります。

「完全に理想的な観客とは、舞台の世界を美的なものとしてではなく、生身の肉体をそなえた経験的なものとして感受することだというのである。おお、このギリシャ人たちは！」

そのようなコーラスを媒介者として、ギリシャの観客は悲劇が蔵している「事物の根底にある生命」に触れることができたのだ、そうニーチェは考えます。

当否は措《お》くとして、これは興味深い考え方です。というのは、この分析は、舞台の世界を「生身の肉体をそなえた経験的なものとして感受」しているギリシャの合唱者たちの感動を、ニーチェ自身が現に「生身の肉体をそなえた経験的なものとして」感受している、という「入れ子構造」になっているからです。ニーチェはギリシャ人の異他的なものに対する「共感の仕方」に「共感」しているのです。

これは、ずいぶん変わったアプローチに見えますが、遠い時代の、遠い祖先の経験を伝承するための方法としては、実はたいへんに正統的なやり方なのです。

技芸の伝承に際しては、「師を見るな、師が見ているものを見よ」ということが言われます。弟子が「師を見ている」限り、弟子の視座は「いまの自分」の位置を動きません。「いまの自分」を基準点にして、師の技芸を解釈し、模倣することに甘んじるならば、技芸は代が下るにつれて劣化し、変形する他ないでしょう。(現に多くの伝統技芸はそうやって堕落してゆきました。)

それを防ぐためには、師その人や師の技芸ではなく、「師の視線」、「師の欲望」、「師の感動」に照準しなければなりません。師がその制作や技芸を通じて「実現しようとしていた当のもの」をただしく射程にとらえていれば、そして、自分の弟子にもその心像を受け渡せたなら、「いまの自分」から見てどれほど異他的なものであろうと、「原初の経験」は汚されることなく時代を生き抜くはずです。

ギリシャ悲劇を見て感動している古代ギリシャ人の「感動の仕方」そのものに感動するとい

う、「自乗された感動」によって、ニーチェは「いっさいの文明の背後に絶えることなく生き続け、世代や民族史がいくたびか移り変わっても永遠に不変な」(『悲劇の誕生』)ものに触れることを望んでいたのです。

これはヘーゲルが「自己意識」ということばで言おうとしていた事態とそれほど違うものではありません。というのは、「自己意識」とは、要するに、「いまの自分」から逃れ出て、想像的に措定された異他的な視座から自分を振り返る、ということに他ならないからです。

ニーチェは古典文献学者としての経験を踏まえて、異邦の、異文化のうちにある人々の、身体的な経験を「その身になって」、内側から想像的に追体験することのうちに「自己意識」獲得の可能性を求めました。遠い太古の、異郷の人の身体に入り込めるような、のびやかな限界を知らない身体的想像力に裏打ちされた知性だけが適切な「自己認識」を可能にするだろう、とニーチェは洞察したのです。

そうだとすると、ニーチェが同時代人に向けた「われわれはわれわれ自身を理解していない」という激しい批判のことばは、このようなのびやかな知性の働きが、いまや致命的な仕方で損なわれている、ということを意味していることになります。

同時代人(原理的には、私たちもそこに含まれます)は「臆断」の虜囚になっている、ニーチェはそう断定します。一九世紀のドイツのブルジョワで、キリスト教徒である、ニーチェの同時代人は、自分たちにとって「ナチュラル」と思われる価値判断や審美的判断を、歴史的に形成された偏見や予断であるとはみなさず、人類一般に普遍的に妥当するものだと信じ込んでいました。彼らはある特定の時代の、特定の地域に固有の、狭隘《きょうあい》でいびつな世界観にしがみつき、それをこそ「世代や民族史がいくたびか移り変わっても永遠に不変であるもの」だと思い込んでいたのでした。

自己意識のこの致命的な欠如ゆえに、ニーチェの目には、彼の同時代人たちは、自分が「何ものである」かを知らず、自分がどんな仕方で「思考している」のかを知らない恐るべき愚物に映りました。

なぜこのような愚物たちが一九世紀末におびただしく簇生《そうせい》してきたのか。ニーチェの「系譜学的」な思考は、その歴史的淵源に向かいます。すごく平たく言えば、ニーチェのそれ以後の全著作は「いかにして現代人はこんなにバカになったのか?」という総題を持つことになるのです。

ここではニーチェの道徳論を取り上げて、ニーチェの系譜学的思考のあり方をたどってみることにしましょう。

道徳論において、ニーチェは、「善悪」という、人間にとって疑いの余地なく自明であると思われる概念を取り上げます。そして、「善悪」概念それ自体が一つの歴史を持つことを明らかにしようとするのです。

『道徳の系譜』は次のような挑発的な問いから始まります。

「われわれの善悪は果たしていかなる起源を有するか。（略）人間はいかなる条件のもとに善悪というあの価値判断を案出したか。そして、それらの価値判断そのものはいかなる価値を有するか。それらの価値判断はこれまで人間の進展を阻止してきたか、それとも促進してきたか。」

善悪の観念、それは私たちにとっては疑いようもなく自明のものに思えますが、ニーチェはそれを疑います。「善悪」という判定基準はいつできたのか、何のために、どんな利益を求めて、誰が発明したのか、そして、その発明は人類の役に立ったのか……。

「道徳は何の役に立つのか？」

これはずいぶん挑発的な問いかけです。しかし、こう問いかけたのは、ニーチェが最初ではありません。これはすでにイギリスの哲学者たち（トマス・ホッブス Thomas Hobbes 一五八八～一六七九、ジョン・ロック John Locke 一六三二～一七〇四、ジェレミー・ベンサム Jeremy

Bentham 一七四八〜一八三二）によって久しく究明されてきた問いだからです。

善悪の観念はそれぞれの社会集団の歴史的条件に応じて変化する、ということについてはこの哲学者たちもニーチェと同意見でした。では、彼らとニーチェはどこが違うのでしょう。

野生の自然状態にある人間は、当然ながら、それぞれが自己保存という純粋に利己的な動機によって行動します。あらゆる手だてを尽くして利己的にふるまい自己保存に努めるのは人間の本来的な「権利」である、と功利主義者たちは考えました。（この権利は「自然権」natural right と呼ばれます。）

しかし、自然権を万人が行使すると、自分の欲しいものは他人から奪い取ってよいということですから、人間たちは絶えざる戦闘状態に置かれることになります。ホッブスはこの状況を「万人の万人に対する戦い」（bellum omnium contra omnes）ということばで言い表しました。

しかし、全員が全員の敵である「バトル・ロワイヤル」状態では、自分の生命財産を安定的に確保することはきわめて困難です。自然権の行使が許された社会では、一部の圧倒的強者を除いて、ほとんどの個人が所期の自己保存、自己実現の望みを絶たれて終わることになります。つまり、自然権行使の全面的承認は、自然権の行使を不可能にするという背理がここに生じることになります。

それゆえ、人々はとりあえず自然的欲求を断念して、社会契約に基づいて創設された国家に自然権の一部を委ねるほうが、結果的には私利私欲の達成が確実であると判断するに至ったのです。これが功利主義者によって想像された「道徳の系譜学」です。（ほんとうにそうだったのかどうかは知りようがありませんが。）

ジョン・ロックはこう書いています。

「人間たちが共同体を構成し、一つの政府に服従するとき、彼らがたがいに認め合った最も重要で基幹的な目的とは、自分たちの私有財産を保全することであった。というのは、自然状態にあっては、私有財産の確保のためにはあまりに多くのものが欠落していたからである。」（『統治論』）

法律も道徳律も裁判も法的制裁もない状態では、私有財産を確保するのは容易なことではありません。しかたなく人々は私権を保全するために、私権の一部を制限されることを受け入れました。こうして、欲しいからといって、他人のものを腕ずくで奪い取ることは「してはいけない」ことになりました。「なすべきこと・してはいけないこと」という善悪の規範が成立するわけです。

しかし、その道徳律はあくまでも「私有財産の保全、個の自己保存、自己実現」、つまり

「自然権の最大限行使」をめざして制定されたに過ぎません。善悪の規範そのものに何らかの普遍的な意味や人間的価値があったわけではありません。利己主義を徹底的に追求したら、いつしか「利他主義」(altruism) に至ってしまった、というのが功利主義の道徳観です。

ではニーチェの道徳論は、このいささかシニカルな功利主義的道徳論とどこがどう違うのでしょう。

功利主義者とニーチェの最大の違いは、「時代が違う」ということです。

生きていた時代が違うというのではありません(功利主義の哲学を集成したJ・S・ミル〈J. S. Mill 一八〇六〜七三〉とニーチェでは年齢はほとんど変わりません)。しかし、ミルは「近代市民社会」を考察し、ニーチェは「現代大衆社会」を考察しました。ミルは消えつつある社会を懐古的に解明し、ニーチェは出現しつつある二〇世紀の大衆社会を予見的に批判しました。「時代が違う」というのは、そのことです。

ニーチェの道徳論は、「大衆社会の道徳論」という点において画期的なものでした。「大衆社会」とは何かという定義をしておかないとニーチェの独創性は理解しにくいと思いますので、そこから始めましょう。

ニーチェによれば、「大衆社会」とは成員たちが「群」をなしていて、もっぱら「隣の人と同じようにふるまう」ことを最優先的に配慮するようにして成り立つ社会のことです。群がある方向に向かうと、批判も懐疑もなしで、全員が雪崩《なだれ》打つように同じ方向に殺到するのが大衆社会の特徴です。（ニーチェの予見した「大衆社会」は、その三十年後にオルテガ〈José Ortega y Gasset 一八八三〜一九五五〉の『大衆の反逆』において活写されることになります。）

ニーチェはこのような非主体的な群衆を憎々しげに「畜群」（Herde ヘールデ）と名づけました。

畜群の行動準則はただ一つ、「他の人と同じようにふるまう」ことです。

誰かが特殊であること、卓越していることを畜群は嫌います。畜群の理想は「みんな同じ」です。それが「畜群道徳」となります。ニーチェが批判したのはこの畜群道徳なのです。

畜群道徳は何よりもまず社会の均質化を志向します。

「万人が平等であること」こそ畜群道徳の輝く理想です。だから人々は「心を一つにして、あらゆる特殊な要求、あらゆる特権や優先権に対して頑強に抵抗」し、「ひとしく同苦（同情）の宗教を信奉し、およそ感じ、生き、悩むかぎりのすべてのものに同情する」ことになります。（『道徳の系譜』）

こうして、みんな同じような顔付きをし、同じような考え方感じ方をする、個体差を識別しがたいどろどろした「塊」（マッス）が生成します。

「みんなと同じ」をめざす畜群道徳も、ある意味では功利的です。けれども、それはロックやホッブスの考えていた功利主義とはずいぶん違っています。というのは、市民社会における利己的市民たちが、自然権の一部を国家に委ねたのは、「どう行動すれば、自分がいちばん得するか？」ということについて最適な判断を下すだけの知性を備えていたからです。利己主義の制限は、利己的動機に基づいて、合理的な判断を下すことのできる市民たちによってはじめて主体的に引き受けられたのです。

ということは、もしも「私権の制限こそが、結果的には私利の確保につながる」ということに社会の成員たちが（合理的に推論する能力の欠如ゆえに）気づかなければ、功利主義的道徳はもう成り立たないということになります。

畜群にはもちろん条理を踏まえた推論なんかできるはずもありません。だって、畜群は（その定義からして）主体的判断ができないものだからです。

畜群の関心は、いかにして「均質的な群」を維持するか、ということにしかありません。そのためにはとにかく成員全員が隣人と同じ判断をし、同じ行動をすることが必要です。功利主義的市民社会では、市民たちの算盤《そろばん》ずくの計算の「結果」、全員の決断が一致するわけですが、これに対して畜群では、全員一致することそれ自体が「目的」となります。

ここに倒錯的な畜群道徳が誕生します。

なぜ「倒錯的」かと言いますと、畜群においては、ある行為が道徳的であるか否かについての判断は、その行為に内在する価値によってでも、その行為が当人にもたらす利益によってでもなく、単に「他の人と同じかどうか」を基準に決されるからです。

他人と同じことをすれば『善』、他人と違うことをしたら「悪」。それが畜群道徳のただ一つの基準です。

このような畜群のあり方は、私たちの時代の大衆の存在様態をみごとに言い当てています。これまでも強権に屈して畜群化された社会集団は歴史上いくつも存在しました。しかし、近代の畜群はそれとは決定的に違っています。というのは、現代人は、「みんなと同じ」であることそれ自体のうちに「幸福」と「快楽」を見出すようになったからです。

相互参照的に隣人を模倣し、集団全体が限りなく均質的になることに深い喜びを感じる人間たちを、ニーチェは「奴隷」（Sklave スクラーフェ）と名づけました。

ニーチェの後期の著作には、この「奴隷」的存在者に対する罵倒と嘲笑のことばが渦巻いています。

さて、ニーチェの道徳論のきわだった特徴は、このみすぼらしい大衆社会から抜け出す唯一の方策として、「奴隷」の対極に「貴族」を救世の英雄として描き出したことにあります。「貴族」とは大衆社会のすべての欠陥からまったく自由な無垢《むく》で気高い存在です。人類の未来を託するに足る唯一の存在です。

「奴隷」が相互模倣の虜囚であるとすれば、「貴族」は、自分の外側にいかなる参照項も持たない自立者です。「外界を必要としないもの」「行動を起こすために外的刺激を必要としないもの」、それがニーチェのいう「貴族」です。

「貴族」の行動は、(功利主義的市民のように)熟慮の上のものでもないし、(「奴隷」のように)外部への屈服でもありません。「貴族」とは何よりも無垢に、直接的に、自然発生的に、彼自身の「内部」からこみ上げてくる衝動に完全に身を任せるもののことなのです。

「騎士的・貴族的な価値判断の前提をなすものは、力強い肉体、若々しい、豊かな、泡立ち溢れるばかりの健康、並びにそれを保持するために必要な種々の条件、すなわち戦争、冒険、狩猟、舞踏、闘技、そのほか一般に強い自由な快活な活動をふくむすべてのものである。すべての貴族道徳は勝ち誇った自己肯定から生じる。」(『道徳の系譜』)

この「貴族」を極限までつきつめたものが「超人」です。

「超人」とは「人間を超えたポジション」のことです。そこから見おろすと人間がサルにしか見えないような高みのことです。

しかし、具体的に「超人」とはいったい誰のことを指し、また、どうすれば「超人」になれるのか、それについてニーチェはあまり具体的な指示はしてくれません。

「わたしはあなたがたに超人を教える。人間とは乗り超えられるべきものである。あなたがたは人間を乗り超えるために何をしたか。（略）人間にとって猿とは何か。哄笑の種、または苦痛にみちた恥辱である。超人にとって人間とはまさにこういうものであらねばならない。」（『ツァラトゥストラ』）

ご覧の通り、ニーチェは「超人」とは「何であるか」ではなく、「何でないか」しか書いていません。

どうやらそれは具体的な存在者ではなく、「人間の超克」という運動性そのもののことのようです。「超人」とは「人間を超える何もの」かであるというよりは、畜群的存在者＝「奴隷」であることを苦痛に感じ、恥じ入る感受性、その状態から抜け出ようとする意志のことのように思われます。現にニーチェはこう続けています。

「人間は、動物と超人のあいだに張り渡された一本の綱である。深淵の上にかかる綱である。人間において偉大な点は、彼が一つの橋であって、目的ではないことだ。人間において愛しうる点は、彼が過渡であり、没落である、ということである。」(『ツァラトゥストラ』)

ニーチェは「超人道徳」を説いたと言われていますが、実は「超人とは何か」という問いには答えていないのです。彼は「人間とは何か」についてしか語っていないのです。人間がいかに堕落しており、いかに愚鈍であるかについてだけ、火を吐くような雄弁をふるっているのです。

ニーチェにおいて、「超人とは何か」という問題はつねに「人間とは何か」という問題に、「貴族とは何か」という問題はつねに「奴隷とは何か」という問題に、「高貴さとは何か」という問題はつねに「卑賤さとは何か」という問題に、それぞれ言い換えられます。

この「すり替え」がニーチェの思考の「指紋」であり、その致命的な欠陥でもあるように思われます。というのは、こういうふうに「言い換える」と、結局のところ、人間を高貴な存在へと高めてゆく推力を確保するためには、人間に嫌悪を催させ、そこから離れることを熱望させるような「忌まわしい存在者」が不可欠だという倒錯した結論が導かれてしまうからです。

ニーチェは何かを激しく嫌うあまり、そこから離れたいと切望する情動を「距離のパトス」と呼びました。そして、その嫌悪感こそが「自己超克《ちょうこく》の熱情」を供与するというのです。ですから、「超人」へ向かう志向を賦活《ふかつ》するためには、醜悪な「畜群」がそこに居合わせて、嫌悪感をかき立ててくれることが欠かせません。おのれの「高さ」を自覚できるためには、つねに参照対象としての「低い」ものに側にいてもらうことが必要です。

結局、自己超克の向上心を持ち続けようとするものは、「そこから逃れるべき当の場所」である忌まわしい「永遠の畜群」をはっきりと有徴化し、固定化し、「いつでも呼び出し可能な状態」にしておくことを求めるようになります。超人たらんとするものは、おのれの「高さ」を観測する基準点として、「笑うべきサル」であるところの「永遠の賤民」を指名し、身動きならぬように鎖で縛り付けることに同意することになります。

ニーチェの超人思想がこうして最終的にたどりついたのは、意外なことに、みすぼらしく暴力的な反ユダヤ主義プロパガンダでした。それが彼の死後にどのような災厄をヨーロッパに及ぼすことになるか、ニーチェ自身は果たして想像していたのかどうか知る術《すべ》はありません。

ニーチェの思想的事績をおおいそぎで要約してみましたが、「負の遺産」である「超人思想」を含めて、私たちの時代がニーチェから受け継いだものは少なくありません。

何よりもまず、過去のある時代における社会的感受性や身体感覚のようなものは、「いま」を基準にしては把持できない、過去や異邦の経験を内側から生きるためには、緻密で徹底的な資料的基礎づけと、大胆な想像力とのびやかな知性が必要とされる、という考え方です。私はこの点については、ニーチェに全面的に賛成です。

この考え方はのちに「系譜学的」思考と名づけられることになり、ミシェル・フーコーによって受け継がれ、フーコーを経由して、学術的方法として定着することになりました。

フーコーは、ついでにニーチェからその「大衆嫌い」の傾向もちゃんと継承しました。そのおかげで、現代大衆社会では「大衆なんて大嫌いだ」と大衆たちが口を揃えて言い立てるという、「ポスト大衆社会」的な光景が展開することになりました。（これはちょっとうんざりですね。）

私たちの時代はニーチェからは困った遺産も受け継いだわけですが、それでも、人間知性の少なくとも一部分は、ある種の「嫌悪感」を推力として運動するものであることは間違いありませんし、そうである以上、このような「嫌悪する思想」から私たちが引き出しうる知的資産は決して少なくないと思います。

第二章　始祖登場
——ソシュールと『一般言語学講義』

1　ことばは「ものの名前」ではない

マルクス、フロイト、ニーチェ、この三人は構造主義の「地ならし」役として大きな貢献を果たしました。しかし、この三人は別に構造主義だけを準備したわけではありません。およそ二〇世紀において提唱された学術的方法の中で、マルクス、フロイト、ニーチェの影響をまったく受けていないものはないからです。この三人は、二〇世紀における知の枠組みそのものを準備したのですから、構造主義が生まれる風土の形成には当然深く与《あずか》っておりますが、だからといって、彼らを「構造主義の直接の淵源」と言うことはできません。狭義での構造主義の直接の起源とされているのは、彼らとは別の人物です。

フロイトがウィーンで精神分析の講義をしていたのとほとんど同じころ、一九〇七年から一九一一年にかけて、スイスのジュネーヴ大学で、一人の言語学者が少数の言語学者と言語学専攻の学生たちを前にして、「一般言語学講義」という専門的な講義を行っていました。

この言語学者、フェルディナン・ド・ソシュール（Ferdinand de Saussure 一八五七〜一九一三）が、思想史的には構造主義を始めた人とされています。

と書いておいて、次の行ですぐに訂正するのも気が引けますが、ソシュールが構造主義の「ほんとうの父」かどうかについては異論もあります。ソシュールは彼以前の言語学者や古典派経済学者たちがすでに気づいていたことを体系的に言い直しただけだ、という指摘もあります。しかし、この議論に深入りするとおおごとになるので、「定石」にならって、本書では、とりあえずソシュールを「構造主義の父（と言われている人）」ということでご納得いただいて、話を先へ進めたいと思います。

ソシュールの言語学が構造主義にもたらしたもっとも重要な知見を一つだけ挙げるなら、それは「ことばとは、『ものの名前』ではない」ということになるでしょう。（ほかにもソシュールはいろいろなことを指摘したのですが、いちばんだいじな一つだけにしておきます。）ギリシャ以来の伝統的な言語観によれば、ことばとは「ものの名前」です。その典型的な例は『聖書』に見ることができます。

「神である主が、土からあらゆる野の獣と、あらゆる空の鳥をかたちづくられたとき、それにどんな名を彼がつけるかを見るために、人のところに連れて来られた。人が、生き物につける名は、みな、それがその名となった。こうして、人は、すべての家畜、空の鳥、野のあらゆる獣に名をつけた。」(『創世記』二：十九〜二十)

アダムの前に野の獣が連れて来られます。それを見て、アダムは「じゃ、これは牛、これは馬、これは犬」というふうに名前をつけてゆきます。

まず「もの」があり、ただ名前がついていないだけなので、人間がこちらのつごうで、あとからいろいろ名前をつけること、それがことばの働きである、というのが『創世記』に語られている言語観です。これをソシュールは「名称目録的言語観」と名づけました。

この「名称目録」つまり「カタログ」としての言語観は、私たちにものの名前は人間が勝手につけたものであって、ものとその名は別に必然性があって結びついているわけではないということを教えてくれます。

日本語では「犬」と呼ぶものを、英語ではdog、フランス語ではchien、ドイツ語ではHundと呼ぶというふうに、ものの呼び方は「言語共同体ごとにご自由に」ということになっていて、どの名がいちばん「正しい」のか、というようなことは問題にしても仕方がありません。「ものの名前は人間が勝手につけた」というのが「カタログ言語観」の基本にある考えです。これは誰にでも納得できるでしょう。

しかし、この言語観は、いささか問題のある前提に立っています。それは、「名づけられる前からすでにものはあった」という前提です。

たしかに私たちはふつうにはそう考えます。「丸くてもこもこした動物が来たので、アダムは勝手にそれを『羊』と名づけた」というふうに。

しかし、ほんとうにそうなのでしょうか。「まだ名前を持たない」で、アダムに名前をつけられるのを待っている「もの」は、実在していると言えるのでしょうか。

名づけられることによって、はじめてものはその意味を確定するのであって、命名される前の「名前を持たないもの」は実在しない、ソシュールはそう考えました。

ソシュールは「羊」の例を挙げています。その箇所を引用しておきましょう。

「フランス語の『羊』(mouton) は英語の『羊』(sheep) と語義はだいたい同じである。しかしこの語の持っている意味の幅は違う。理由の一つは、調理して食卓に供された羊肉のことを英語では『羊肉』(mutton) と言ってsheepとは言わないからである。sheepとmouton

は意味の幅が違う。それはsheepにはmuttonという第二の項が隣接しているが、moutonにはそれがない、ということに由来する。（略）もし語というものがあらかじめ与えられた概念を表象するものであるならば、ある国語に存在する単語は、別の国語のうちに、それとまったく意味を同じくする対応物を見出すはずである。しかし現実はそうではない。（略）あらゆる場合において、私たちが見出すのは、概念はあらかじめ与えられているのではなく、語のもつ意味の厚みは言語システムごとに違うという事実である。（略）概念は示差的である。つまり概念はそれが実定的に含む内容によってではなく、システム内の他の項との関係によって欠性的に定義されるのである。より厳密に言えば、ある概念の特性とは、『他の概念ではない』ということに他ならないのである。」（『一般言語学講義』。ちなみに本書ではフランス語と英語については、原著が手に入ったものは私が訳文を書いています。）

「羊」はフランス語では「ムートン」と言います。英語にはフランス語の「ムートン」に対応する名詞が二つあります。一つは「シープ」です。これは白くてもこもこした生き物で、もう一つの「マトン」は食卓に供される羊肉のことです。英語では生きた羊と食べる羊は別の「もの」ですが、フランス語では同一の語がこの二つの「もの」を含んでいます。ですから厳密に言えば、フランス語の「ムートン」に相当する包括的な名称は英語には存在せず、逆に、「動物としての羊」や「食肉としての羊」だけを意味する語はフランス語には存在しない、ということになります。

日本語と英語の場合でも同じことが起こります。

英語の devilfish「悪魔の魚」は「エイ」と「タコ」の両方を含む概念です。英語には「エイ」を指す manta という単語がありますし、「タコ」は octopus という名前があります。ですから英語話者はこの二つを形態的にはちゃんと区別しているのですが、同時にこの二種の動物を「忌まわしい生物」という意味で同一の概念のうちにまとめてもいるのです。このような包括的な名称は日本語にはありませんから、「悪魔の魚」なる生物は英語話者の意識の中にだけ存在していて、日本人が日本語で思考する限り、概念化することのできない奇怪な生物だということになります。

高島俊男は同じことが漢語と日本語のあいだでも起こっていると指摘しています。

「われわれはいま『お天気』ということばをごく日常にもちいているが、この『天気』という語も本来の日本語ではない。これも、概括的、抽象的なことばなのである。同様に『春』『夏』『秋』『冬』はある。しかしそれらを抽象した『季節』はない。

あるいは目に見える『そら』はある。しかし万物を主宰し、運行せしめ、個人と集団の命運をさだめる抽象的な『人』はない。いやこの『天』ともなると、単に抽象的というにとどまらず、この観念を生んだ種族の思想――すなわちものの考えかた、世界と人間のとらえかた――を濃厚にふくんでいる。

概念があるからことばがある。逆に言えば、ことばがないということは概念がないということである。」(『漢字と日本人』)

語義の一部が重複しているので、「同義語」と言えば「同義語」と言えなくもないのですが、含まれている意味の厚みや奥行きが違うせいで誤解を産むということが、外国語を訳すときにはよく起こります。

例えば英語のseveralというのは何となく「五、六」くらいと思われていますので、several yearsはよく「数年」と訳されますが、実際には、severalは「二つ」のときもあれば「十以上」のときもあります。

このような「語に含まれている意味の厚みや奥行き」のことをソシュールは「価値」valeurと呼びました。(valeurはふつう「価値」と訳されて、signification「語義」と区別されています。)

severalと「五、六」は「語義」としてはだいたい重なっていますが、「価値」を微妙に異にしています。「そら」と「天」や、「ムートン」と「シープ」も同じです。ある語が持つ「価値」、つまり「意味の幅」は、その言語システムの中で、あることばと隣接する他のことばとの「差異」によって規定されます。もし、あることばが含む意味の幅の中にぴたりと一致するものを「もの」と呼ぶとするならば、「ことば」と「もの」は同時に誕生するということができます。

「デヴィルフィッシュ」という「もの」は、そのようなことばを持つ言語システムで世界を眺めている人々の意識の中にのみ存在しており、その語を持たない言語共同体には存在しません。

それは星座の見方を知らない人間には満天の星が「星」にしか見えず、天文に詳しい人には、空いっぱいに「熊」や「獅子」や「白鳥」や「さそり」が見えるという事態と似ています。黒い空を背景にして散乱する無数の星のあいだのどこに切れ目を入れて、どの星とどの星を結ぶか、それは見る人の自由です。そして、ある切れ目を入れて星を繋いだ人は、そこにはっきり「もののかたち」を見出すことができます。でも、二人並んで星座を見ているときに、よく経験するように、見える人にはありありと見える星座が、そのように切れ目を入れない人にはまったく見えないのです。

ソシュールは言語活動とはちょうど星座を見るように、もともとは切れ目の入っていない世界に人為的に切れ目を入れて、まとまりをつけることだというふうに考えました。

「それだけを取ってみると、思考内容というのは、星雲のようなものだ。そこには何一つ輪郭のたしかなものはない。あらかじめ定立された観念はない。言語の出現以前には、判然としたものは何一つないのだ。」（『一般言語学講義』）

言語活動とは「すでに分節されたもの」に名を与えるのではなく、満天の星を星座に分かつように、非定型的で星雲状の世界に切り分ける作業そのものなのです。ある観念があらかじめ存在し、それに名前がつくのではなく、名前がつくことで、ある観念が私たちの思考の中に存在するようになるのです。

2　「肩が凝る」のは日本人だけ!?

高島が言うように、ことばはつねに「この観念を生んだ種族の思想──すなわちものの考えかた、世界と人間のとらえかた──を濃厚にふくんで」います。外来語を用いるのは、ふつうは、その観念を言い表す同義語が母国語にない場合です。

例えば、「アントレプレナー」entrepreneurというのは最近よく目にするビジネス用語です。（ふつう「起業家」という訳語を当てます。）この語は、興味深いことに、アメリカから来た用語なのに、実は英語ではありません。entrepreneurはフランス語なのです。つまり、アメリカのビジネスシーンが「起業家」という新しいビジネス概念を持ったときに、それを言い表すのに旧来のenterpriserではどうもしっくりこないというので、「企業家」と「創業者」を同時に意味するフランス語を借用してきたのをさらに日本に来て「アントレプレナー」と表記されて、「自立心旺盛なヴェンチャー・ビジネスの創業者」という特異な含意とともに流通することになったわけです。つまり、この単語は、新しいビジネス・スタイルと、それに対する価値評価を「込み」で輸入されたのです。

外国語を母国語の語彙に取り込むということは、「その観念を生んだ種族の思想」を（部分的にではあれ）採り入れることです。そのことばを使うことで、それ以前には知られていなかった、「新しい意味」が私たちの中に新たに登録されることになります。私の語彙はそれによって少しだけ豊かになり、私たちの世界は少しだけ立体感を増すことになります。

ですから、母国語にある単語が存在するかしないか、ということは、その国語を語る人たちの世界のとらえ方、経験や思考に深く関与してきます。

身近な例を一つ挙げましょう。

私たち日本人はすぐに肩が凝ります。

「ああ、肩が凝った」という愁訴はふつうは根を詰めて仕事をしたあとや、気詰まりな人間関係をがまんした後に口にされます。

ところが、「肩が凝る」という身体的生理的現象は、日本語を使う人の身体にしか生じないという医療人類学上の興味深い研究があります。（小林昌廣「肩凝り考」）

たしかに同じ姿勢で長いあいだ作業をしたりすれば、世界中の人は誰だって背中から首筋にかけての筋肉が硬直して痛みを発します。しかし、それを他の国語の人々は必ずしも「肩が凝った」という言い方では表現しないのです。

英語がそうです。

英語にはもちろん「肩」ということばがあり、「凝る」ということばもあります。しかし英語話者は「私はこわばった肩を持つ」という言い方をしません。日本人が「肩が凝る」のとだいたい同じ身体的な痛みを彼らは「背中が痛む」I have a pain on the back. と言うのです。

日本人もアメリカ人も痛むのはそれほど違う箇所ではありません。しかしその痛みの場所を別の単語で表現するのは、痛みの場所が「どこ」かということが、それぞれの国語の中で、重要な意味を持っているからです。

英語では、根を詰めて仕事をすることを、「重荷を背中に背負う」carry a burden on one's

back と言い、熱心に働くことを「背骨を折る」break one's back と言います。ですから、英語話者は仕事のストレスを「肩」ではなく、back に感じ取っている、ということが分かります。

日本では、誰かが「背中が痛い」と言ったら、「病院に行ったら？」と応じますが、「肩が凝った」と言う人に対してはほとんど反射的に、「ご苦労さまでした」と返します。それは「肩が凝った」というのは単なる身体的な痛みの表現ではない、ということを私たちが了解し合っているからです。「肩が凝った」という訴えが「自分は本来の責任範囲を超える仕事をして、疲れたのだから、ねぎらって欲しい」という社会的なメッセージを含んでいることをみんな知っているからです。

ですから、それと同じ状況で、英語話者は自分の労苦へのねぎらいのことばを求めるときには「背中が痛い」と訴えることになります。そして、現にそのときその人の身体ではまちがいなく「背中」が激しく痛んでいるのです。

一九六〇年代のはじめころ、アメリカ大統領だったJ・F・ケネディは背中に戦傷があって、よく杖をついて歩いていました。キューバ危機のころ、ハイアニス・ポートでヨットから杖にすがるように下りてくるケネディ大統領の姿をニュース映画で見た記憶があります。日本の小学生だった私にはただ「痛そうだな」としか思えないその映像を、当時のアメリカ国民は、

「背骨をへし折るような重責に耐えている大統領」という強烈なメッセージを「込み」で受容していたはずです。

このように、私たちの経験は、私たちが使用する言語によって非常に深く規定されています。身体経験のような、世界中誰の身にでも同じように起こるはずの物理的・生理的現象でさえ、言語のフレームワークを通過すると、様相を一変させてしまうのです。

3　私たちは「他人のことば」を語っている

ソシュールが教えてくれたのは、あるものの性質や意味や機能は、そのものがそれを含むネットワーク、あるいはシステムの中でそれがどんな「ポジション」を占めているかによって事後的に決定されるものであって、そのもの自体のうちに、生得的に、あるいは本質的に何らかの性質や意味が内在しているわけではない、ということです。これは別にソシュールの創見というわけではありません。古典派経済学はすでに商品の「価値」と「有用性」が別ものであることを熟知していました。

例えば、ボートの「有用性」は「水に浮く」ということですが、その「価値」は状況によって変化します。タイタニック号沈没間際と晩秋の湘南海岸とでは、「同じ有用性」を持つボートでもおのずと「価値」は違ってきます。

「商品の価値とは必然的に価値体系のなかでの一つの価値に過ぎず、一つの市場の需給関係が変化すれば、それは同時にすべての商品の価値を変化させてしまうことになる」という経済学の知見はソシュールの「価値」という用語法に直接影響しています。(岩井克人『貨幣論』)

しかし、ソシュールは、私たちがことばを用いる限り、そのつど自分の属する言語共同体の価値観を承認し、強化している、ということを私たちにはっきりと知らせました。

マルクスが記述したような資本主義の危機に直面しなくても、あるいはフロイトが例に挙げたような神経症を患っていなくても、ただ、ふつうに母国語を使って暮らしているだけで、私たちはすでにある価値体系の中に取り込まれているという事実をソシュールは私たちに教えてくれたのでした。

私たちはごく自然に自分は「自分の心の中にある思い」をことばに託して「表現する」というふうな言い方をします。しかしそれはソシュールによれば、たいへん不正確な言い方なのです。

「自分たちの心の中にある思い」というようなものは、実は、ことばによって「表現される」と同時に生じたのです。と言うよりむしろ、ことばを発したあとになって、私たちは自分が何を考えていたのかを知るのです。それは口をつぐんだまま、心の中で独白する場合でも変わりません。独白においてさえ、私たちは日本語の語彙を用い、日本語の文法規則に従い、日本語で使われる言語音だけを用いて、「作文」しているからです。

私たちが「心」とか「内面」とか「意識」とか名づけているものは、極論すれば、言語を運用した結果、事後的に得られた、言語記号の効果だとさえ言えるかも知れません。

もちろんこのようなことばの力については、古代から繰り返し指摘されてきました。詩人に霊感を吹き込む「詩神」や、ソクラテスの「ダイモン」は、まさに「ことばを語っているときに、私の中で語っているものは私ではない」という言語運用の本質を直観したものです。

私がことばを語っているときにことばを語っているのは、厳密に言えば、「私」そのものではありません。それは、私が習得した言語規則であり、私が身につけた語彙であり、私が聞き慣れた言い回しであり、私がさきほど読んだ本の一部です。

「私の持論」という袋には何でも入るのですが、そこにいちばんたくさん入っているのは実は「他人の持論」です。

私が確信をもって他人に意見を陳述している場合、それは「私自身が誰かから聞かされたこと」を繰り返していると思っていただいて、まず間違いありません。

「私が誰かから聞かされたこと」は、文章が最後まで出来上がっていますし、イントネーションや緩急のテンポや「ぐっと力を入れる聞かせどころ」も知られています。何より私自身が「それを聞いて納得させられた」という過去があるので、安心して他人に聞かせられます。(タクシーの運転手さんの中には、社会問題について「実にきっぱりと意見を言う」人が多いですが、これは彼らが長時間ラジオを聴き続けていることに関係がある、と私は見ております。)

その反対に、純正オリジナル、出来たてほやほやの無垢の「私の意見」は、たいていの場合、同じ話がぐるぐる循環し、前後は矛盾し、主語が途中から変わるような、「話している本人も、自分が何を言っているのかよく分かっていない」ような困った文章になります。こういう意見におとなしく耳を傾けてくれる聴衆はなかなかいません。いきおい、私たちは、コミュニケーションの現場では、起承転結の結構を承知している「ストックフレーズ」を繰り返すことになりがちです。

ですから、「私が語っているときに私の中で語っているもの」は、まずそのかなりの部分が「他人のことば」だとみなして大過ありません。(現に、私は確信を込めてこう断言していますが、そんなことができるのは、私がいま「ラカンの意見」を請け売りしているからです。)

「私が語る」とき、そのことばは国語の規則に縛られ、語彙に規定されているばかりか、そもそも「語られている内容」さえその大半は他人からのことば、ということになると、「私が語る」という言い方さえ気恥ずかしくなってきます。私が語っているとき、そこで語られていることの「起源」はほとんどが「私の外部」にあるのですから。

さきほど、「私のアイデンティティ」は「私が語ったことば」を通じて事後的に知られる、と書きましたが、ご覧の通り、「私が語ったことば」さえ、それを構成するファクターの多くが「外部から到来したもの」です。だとすると、そのときの「私のアイデンティティ」というのはいったい何なのでしょう？

ところが、このどうにも足元のおぼつかない「私のアイデンティティ」や「自分の心の中にある思い」を、西洋の世界は、久しく「自我」とか「コギト」とか「意識」とか名づけて、それを世界経験の中枢に据えてきました。すべては「私」という主体を中心に回っており、経験とは「私」が外部に出かけて、いろいろなデータを取り集めることであり、表現とは「私」が自分の内部に蔵した「思い」をあれこれの媒体を経由して表出することである、と。

このような考え方は私たちの中にまだ根強く残っていますが、これをここではとりあえず「自我中心主義」（égocentrisme）と呼ぶことにします。ソシュール言語学は、やがてこの自我中心主義に致命的なダメージを与える利器であることがあきらかになります。しかし、ソシュールの考想がそののち西洋の伝統的な人間観にこれほど致命的な影響を及ぼすことになるとは、彼の生前にはたぶん予見した人はいなかったでしょう。

二〇世紀はじめにジュネーヴの大学の小さな教室で一人の言語学者が講じた理説は、そのあと、ニコライ・トルベツコイ（Nicolaï Troubetzkoy 一八九〇〜一九三八）、ローマン・ヤコブソン（Roman Jakobson 一八九六〜一九八二）を中心とするプラハ学派（一九二六年）に受け継がれ、そこでロシア・フォルマリスム、未来派、フッサール現象学など多様な文芸思想運動とダイナミックな異種配合を経験して、とうとうたる思想の水脈を形成することになります。一九二〇〜三〇年代の東欧、ロシアを中心として突出したこの「新しい学知の波」の中から構造主義が生成します。（「構造主義」という術語を最初に用いたのはプラハ学派の人たちです。）

この「ニューウェーヴ」の洗礼を受けた一九四〇年代から六〇年代にかけてのフランスの戦後世代、それが構造主義の「第三世代」に当たります。この人々によってそれまで言語学に限定されていた「構造主義」の理説は一気に多様な隣接領域に展開し、たちまちのうちに普遍的な知的威信を獲得することになります。

第三世代に含まれるのは、文化人類学のクロード・レヴィ＝ストロース（Claude Lévi-Strauss 一九〇八〜二〇〇九）、精神分析のジャック・ラカン（Jacques Lacan 一九〇一〜八一）、記号論のロラン・バルト（Roland Barthes 一九一五〜八〇）、社会史のミシェル・フーコー（Michel Foucault 一九二六〜八四）らです。おそらくこの四人が後代に与えた影響という点では、もっとも重要な人たちでしょう。彼らは「構造主義の四銃士」という異名をとることになります。以下では、この四人の業績と思想史的な意義を吟味して、構造主義が私たちの思考にもたらした決定的な影響について考えてみたいと思います。

第三章　「四銃士」活躍す　その一

――フーコーと系譜学的思考

1　歴史は「いま・ここ・私」に向かってはいない

クリスマス時季に学生たちをわが家に集めたとき、私が編集したクリスマス・ソングのカセットをBGMにかけました。定番のビング・クロスビー『ホワイト・クリスマス』、山下達郎『クリスマス・イブ』、ジョン・レノン『ハッピー・クリスマス』、ワム！『ラスト・クリスマス』などです。これらの楽曲は二十歳くらいの学生さんたちにとっては「文部省唱歌」のようなもので、子どものころからこの季節になるといつも聞かされていたなじみ深い音楽です。ところが、私が驚いたのは、学生たちがこれらの曲を全部「昔の曲」ということで一くくりにしていたことです。ビング・クロスビーと山下達郎とどちらが年上かさえ彼らには区別ができないのです。区別できないというより、区別する必要を感じていないのです。

「えー、だって、どっちも昔からある曲でしょ？」

違うよ、君たち。『ホワイト・クリスマス』は昔だけど、『クリスマス・イブ』は最近の曲だよ、と言いかけて、私は自分もまた彼らと同じことをしていることに気がつきました。

つまり、自分がリアルタイムで「それ」が生成する現場に立ち会っていないものは、ぜんぶ「昔のもの」、「前からずっとあったもの」だと私も思い込んでいたのです。

ビング・クロスビーと山下達郎のどちらのデビューが先か分からない学生を笑った私にしても、一世代上の人から「小唄勝太郎と淡谷のり子とどっちがデビューが先？」と聞かれたら、「えー、そんなの区別する必要あるんですか？　どっちも昔の人でしょ？」と平気で一くくりにしてしまうでしょう。

あらゆる文物にはそれぞれ固有の「誕生日」があり、誕生に至る固有の「前史」の文脈に位置づけてはじめて、何であるかが分かるということを、私たちはつい忘れがちです。そして、自分の見ているものは「もともとあったもの」であり、自分が住んでいる社会は、昔からずっと「いまみたい」だったのだろうと勝手に思い込んでいるのです。

フーコーの仕事はこの思い込みを粉砕することをめざしていました。そのことは彼の代表的な著作の邦訳名、『監獄の誕生』、『狂気の歴史』、『知の考古学』といった題名からも窺い知ることができるでしょう。

「監獄」であれ「狂気」であれ「学術」であれ、私たちはそれらを、時代や地域にかかわりなく、いつでもどこでも基本的には「同一的」なものと信じています。しかし、人間社会に存在するすべての社会制度は、過去のある時点に、いくつかの歴史的ファクターの複合的な効果として「誕生」したもので、それ以前には存在しなかったのです。この、ごく当たり前の（しかし忘れられやすい）事実を指摘し、その制度や意味が「生成した」現場まで遡って見ること、それがフーコーの「社会史」の仕事です。

ある制度が「生成した瞬間の現場」、つまり歴史的な価値判断がまじり込んできて、それを汚す前の「なまの状態」のことを、のちにロラン・バルトは「零度」(degré zéro) と術語化しました。構造主義とは、ひとことで言えば、さまざまな人間的諸制度（言語、文学、神話、親族、無意識など）における「零度の探求」であると言うこともできるでしょう。

私たちは、歴史の流れを「いま・ここ・私」に向けて一直線に「進化」してきた過程としてとらえたがる傾向があります。歴史は過去から現在めざしてまっすぐに流れており、世界の中心は「ここ」であり、世界を生き、経験し、解釈し、その意味を決定する最終的な審級は他ならぬ「私」である、というふうに私たちは考えています。

「いま・ここ・私」を歴史の進化の最高到達点、必然的な帰着点とみなす考えをフーコーは「人間主義」(humanisme) と呼びます。（これは「自我中心主義」の一種です。）

「人間主義」とは、言い換えれば、「いま・ここ・私」主義ということです。「いま・ここ・私」をもっとも根源的な思考の原点と見なして、そこにどっしりと腰を据えて、その視座から万象を眺め、理解し、判断する知の構えをフーコーは「人間主義」と呼んだのです。この人間主義的歴史観によれば、歴史は次々と「よりよいもの」、「より真実なもの」が連続的に顕現してくるプロセスとして理解されます。（だって、「いま・ここ・私」がすべての基準なのですから、それが最高到達点であることは自明の前提です。）

フーコーはこの人間主義的な進歩史観に異を唱えます。

「いま・ここ・私」を到達点にして考えれば、たしかにすべての出来事は単線的な「進化」という「物語」の中に整序されるでしょう。私たちは無意識のうちに歴史は一直線に「いま・ここ・私」をめざして進化の歴程を粛々と歩んできた、という考え方になじんでいます。（進歩史観を逆転して、人間はひたすら「退歩」しているという考え方をすることももちろん可能です。末法思想とかノストラダムスとか通俗的なメシア主義などはその一例です。しかし、どちらにしても、歴史が定められた方向めざして「まっすぐ」に進行しているというふうに考える点では同じですし、歴史認識に際してできるだけ知的負荷を軽減したいと望んでいる点でも同じです。）

しかし、ほんとうにそんなふうに考えてしまってよいのでしょうか？

「歴史の直線的推移」というのは幻想です。

というのは、現実の一部だけをとらえ、それ以外の可能性から組織的に目を逸らさない限り、歴史を貫く「線」というようなものは見えてこないからです。選び取られたただ一つの「線」だけを残して、そこからはずれる出来事や、それにまつろわない歴史的事実を視野から排除し、切り捨てる眼にだけ「歴史を貫く一筋の線」が見えるのです。

分かりやすい例を挙げましょう。

個人的なことですが、私はときどき「庄内藩士内田家の末裔《まつえい》」である、という名乗りをすることがあります。山形県の鶴岡には「内田家累代の墓」もあり、なんとなく、私にはそういう「血」が流れているのかな、と思うこともあります。しかし、母親（旧姓河合）からすると、「あなたには母方の血も半分入ってるのに、どうして、そっちは無視しちゃうの」と愉快ではないでしょう。

たしかに、よく考えてみると、自分が「誰の子孫であるか」ということは、実はずいぶん恣《し》意《い》的な決定です。というのは、私には四人の祖父母がいるわけなのに（内田、河合の他に服部、榎本の四家があります）、私はそれら四人の祖父母のうち三人を除去し、一人（内田家の祖父）だけを父祖に指名しているからです。その祖父にも、当然母親がいるわけですが、排除された曾祖母については、もう私はその旧姓さえ知りません。

n代遡ると、私たちには二のn乗数の「祖先」がいるわけです。ですから、そのうちの一人の姓を名乗り、「……家の末裔」を称するということは、二のn乗マイナス一人の祖先の姓を忘却の彼方に葬り去ることに同意した、ということを意味しています。

同じように、私は自分を「純血日本人」であるというふうに思っていますし、他の人からもそのような扱いを受けています。しかし、何十代か遡れば、私の祖先の中には間違いなく外国人や日本国内の少数民族が含まれていたはずです。私がある祖先をおのれの「直系」として選択し、「日本人」としての「エスニック・アイデンティティ」を奉じているということは、言い換えれば、膨大な数の血縁者を私の系統から組織的に「排除」したということに他なりません。

似たような話がアメリカにもあります。

アメリカにはブラック・セミノール族というマイノリティが存在します。彼らの祖先は逃亡奴隷です。開拓時代、奴隷船を乗っ取って逃れたり、農園から逃亡したりした黒人奴隷は数え切れないほど存在しました。彼らの一部はアフリカと風土的に似ていたフロリダ奥地に逃げ込みました。

一方、アメリカには先住民（いわゆる「インディアン」ですね）の奴隷も多く存在しました。(地域によっては黒人奴隷よりも多かったのです。）彼らもまた白人の支配を逃れて、密林深くに入り込みました。こうして、フロリダ奥地に逃亡した先住民とアフリカ人の共生が始まったのです。そして、いつのまにか混血が進みました。

その子孫たちがいまテキサスにいます。興味深いことに彼らは自らを「アメリカ先住民」と称しており、周囲のアフリカ系アメリカ人とは一線を画して暮らしています。身体的特徴においては際だってアフリカ的でありながら、生活様式においては先住民的である彼らは、身体的特徴を無視して、あくまで自分たちは「アフリカから来た人」ではなく、「昔からアメリカにいた人」であると主張しています。彼らは祖先の一方を組織的に切り捨てているわけです。

（西江雅之『伝説のアメリカン・ヒーロー』）

「エスニック・アイデンティティ」というものを私たちはあたかも「宿命的刻印」のようなものとして重々しく語ります。しかし、多くの場合、それは選択（というより、組織的な「排除」）の結果に過ぎません。ある祖先ただ一人が選ばれ、それ以外のすべての祖先を忘れ去り、消滅させたときにのみ、父祖から私へ「一直線」に継承された「エスニック・アイデンティティ」の幻想が成り立つのです。

誰の場合でも、無数の祖先のうち誰か一人でも配偶者に別の人を選んだり、子どもをつくる前にどこかで頓死したりしていたら、「いま・ここ・私」は存在していません。「いま・ここ・私」というのは、歴史の無数の転轍《てんてつ》点において、ある方向が「たまたま」選ばれたことによって出現したものに過ぎません。しかし、私たちはその「事実」を無視することになると、驚くほど勤勉になるのです。

世界は私たちが知っているものとは別のものになる無限の可能性に満たされているというのはSFの「多元宇宙論」の考え方ですが、いわばこれが人間中心主義的進歩史観の対極にあるものと言えます。

フーコーの発想はある意味ではこのSF的空想に通じるものがあります。

例えば、蒸気機関車は「ああいうかたち」をしている、ということを私たちは少しも疑いません。しかし、ワットの蒸気機関を運輸手段に応用するとき、多くの技術者がまず考えたのは「馬のように地面を蹴って前進する機関」でした。それまでの運送手段はすべて「何かが車を引く」という構造でしたから、因習的な想像力が「鉄の馬」の設計に向かったのは少しも怪しむに足りないのです。スティーヴンソンは「何かが車を引く」のではなく、「車輪それ自体が自転する」機関車を構想しましたが、これは「コロンブスの卵」的な発想の転換だったのです。

でも、私たちはもうそのことを忘れています。しかし、もし「鉄の馬」が実用化されていて、それが採用されていれば、「鉄の馬」型蒸気機関車に私たちは慣れてしまい、いまではそれ以外のかたちの運輸手段を想像することに困難を覚えていたのではないでしょうか。(興味のある方は、ウィル・スミス主演の『ワイルド・ワイルド・ウエスト』という映画をご覧下さい。「鉄の馬型蒸気機関」というものがどういう外見のものかを知ることができます。）

歴史の流れが「いま・ここ・私」へ至ったのは、さまざまな歴史的条件が予定調和的に総合されていった結果というより、（「鉄の馬」に代表される）さまざまな可能性が排除されて、むしろどんどんやせ細ってきたプロセスではないのか、というのがフーコーの根源的な問いかけです。

フーコーはそれまでの歴史家が決して立てなかった問いを発します。

それは、「これらの出来事はどのように語られてきたか？」ではなく、「これらの出来事はどのように語られずにきたか？」です。なぜ、ある種の出来事は選択的に抑圧され、黙秘され、隠蔽されるのか。なぜ、ある出来事は記述され、ある出来事は記述されないのか。

その答えを知るためには、出来事が「生成した」歴史上のその時点——出来事の零度——にまで遡って考察しなければなりません。考察しつつある当の主体であるフーコー自身の「いま・ここ・私」を「カッコに入れて」、歴史的事象そのものにまっすぐ向き合うという知的禁欲を自らに課さなければなりません。そのような学術的アプローチをフーコーはニーチェの「系譜学」的思考から継承したのです。

2　狂気を査定するのは誰？

フーコーは、歴史を「生成の現場」にまで遡行してみることによって、「常識」をいくつも覆してゆきました。フーコーが覆した「常識」のうちでいちばん衝撃的なものは、おそらく精神疾患における「健常／異常」の境界という概念でしょう。

フーコーはその最初の学術的主題に「狂気」を選びました。彼が最初にめざしたのは「歴史から排除され、理性から忘れ去られたもの――狂気――に語る機会を提供すること」でした。（ドッス『構造主義の歴史』）

『狂気の歴史』において、フーコーは、正気と狂気が「科学的な用語」を用いて厳密に分離可能であるとする考え方は、実は近代になってはじめて採用されたものだ、という驚くべき事実を指摘します。

精神病者の「囲い込み」はヨーロッパでは一七～一八世紀に近代的な都市と家族と国家の成立とともに始まりました。それ以前、狂人は地域社会においては共同体の成員として認知されており、固有の社会的役割を担《にな》っておりました。というのも、狂人は中世ヨーロッパにおいては悪魔という超自然的な力に「取り憑《つ》かれた人」と見なされていたからです。

狂人は「罪に堕《お》ちる」ことの具体的な様態であり、共同体内部ではいわば信仰を持つことの重大性の「生きた教訓」としての教化的機能を果たしていたのです。ですから狂人たちが身近にいること、その生身の存在をあからさまにさらしていることは、人間社会にとって自然であり、有意義なこととされていたのです。ある意味では、中世のヨーロッパでは、悪魔や神や聖霊や天使たちもまた人間たちとこの世界を分かち合っていたのです。フーコーはこう書きます。

「しばらく前まで、狂気は白日のもとで大いに活躍していた。『リヤ王』も、『ドン・キホーテ』もそうだ。しかし、それから半世紀も経たないうちに、狂気は押し込められてしまった。強制収容の城塞《じょうさい》の中で、『理性』と、道徳の諸規則と、それがもたらす彩りのない暗がりに縛り付けられてしまったのである。」（『狂気の歴史』）

近代以前においては、狂人が「人間的秩序」の内部に、その正当な構成員として受容されていた事情は本邦でも変わりません。

能にはしばしば「ものぐるひ」が登場します。例えば、『隅田川』には人さらいに拐《かどわ》かされたわが子を追って都から隅田川まで旅した母が登場します。彼女は、わが子を思う激情を人々に吐露することをいわば「職業」とする「をんなものぐるひ」です。

ですから、人々は「都より女物狂の下り候が。是非もなく面白う狂ひ候を見候よ」「さやうに候はば。暫《しばら》く舟を留めてかの物狂を待たうずるにて候」と、狂女の出現に期待を馳せます。そしてかの狂女が登場すると、人々は「面白う狂うて見せ候へ。狂はずはこの舟には乗せまじいぞよ」と「狂女ショー」をせがみます。

この心ないしうちに、狂女は在原業平《ありわらのなりひら》の「都鳥」の古歌を引いて、隅田川の渡し守に雅量を求め、その問答をきっかけにして、狂女と渡し守と舟に乗り合わせた人々は、誘拐された子どもの非業の死の物語と、亡骸《なきがら》を弔った草塚の因縁と、念仏に応える亡き人の声が彩なす「ミステリー・ゾーン」にしだいに引きずり込まれてゆきます……。

『隅田川』の「をんなものぐるひ」は、世俗と霊界を結ぶ「リンク」の役を果たしています。梓の弓音で生《い》き霊《りよう》を呼び寄せる同じ能楽の名曲である『葵上《あおいのうえ》』の「照日の巫女」や神語りする『巻絹《まきぎぬ》』の巫女も、その役割は同じです。この「ものぐるひ」する女たちは、現実の世界と異界とを接合し、現実の解釈可能性を拡大し、事件の蔵する意味に厚みを加えるというすぐれて社会的な役割を担っていたのです。

しかし、近代とともに、天使と悪魔と人間が世界を分かち合うための装置であった「ものぐるひ」や狂人は日の当たる場所から追放されることになります。一七世紀以後、人間主義的視点がしだいに根を下ろすにつれて、社会から狂人のための場所はなくなってゆきます。世界は「標準的な人間」だけが住む場所になり、「人間」の標準からはずれたものは、社会から組織的に排除されることになるのです。
一七世紀ヨーロッパをフーコーは「大監禁時代」と呼んでいます。それはこの時代になって、近代社会は「人間」標準になじまないすべてのもの――精神病者、奇形、浮浪者、失業者、乞食、貧民、などさまざまな「非標準的な個体」――を強制的に排除、隔離するようになるからです。標準化は時代が下るにつれてますます過激化し、近代ヨーロッパの「監禁施設」には、自由思想家、性的倒錯者、無神論者、呪術師からついには浪費家にいたるまで、およそ「標準から逸脱する」あらゆるタイプの人間たちが収監されるようになります。

「一七世紀になって、狂気はいわば非神聖化される。（略）狂気に対する新しい感受性が生まれたのである。宗教的ではなく社会的な感受性が。狂人が中世の人々の風景の中にしっくりなじんでいたのは、狂人が別世界から到来するものだったからである。いま、狂人は都市における個人の位置づけにかかわる『統治』の問題として前景化する。かつて狂人は別世界から到来するものとして歓待された。いま、狂人はこの世界に属する貧民、窮民、浮浪者の中に算入されるがゆえに排除される。」（『狂気の歴史』）

私たちの常識とは逆のことをフーコーはここで書いています。狂人は「別世界」からの「客人」であるときには共同体に歓待され、「この世界の市民」に数え入れられると同時に、共同体から排除されたのです。つまり、狂人の排除はそれが「なんだかよく分からないもの」であるからなされたのではなく、「なんであるかが分かった」からなされたのです。狂人は理解され、命名され、分類され、そして排除されたのです。狂気を排除したのは「理性」なのです。

こうして狂人の組織的「排除」が進行するに従って、狂気の認定者も変わります。誰が狂人であるかを決定する権利が「司法」から「医療」に移行するのです。

一七世紀において、狂人の「囲い込み」を決定するのは司法官でした。「反社会性」において狂人は貧者や窮民と「同格」だったのです。ところが一八世紀になると、ここに新たな境界線が引かれます。狂人だけが別カテゴリーになるのです。彼らのための施設が作られます。彼らは「治療の対象」になります。症状は観察され、分類され、それは病理学的症候としてカタログ化されます。

狂人は司法官による収監の対象ではなく、医師による治療の対象となります。一見すると、狂人の処遇の仕方はより合理的、より人道的なものになったように思えますが、この「ハードな隔離」から「ソフトな隔離」への移行過程で、ある共犯関係が暗黙のうちに成就します。それは医療と政治の結託、「知と権力」の結託です。

古代において権力は剝き出しのものでした。それが中世から近代に下るにつれて、しだいに輪郭を曖昧にしてゆきます。それは必ずしも権力が非権力的になったということを意味するわけではありません。権力は、当たりの柔らかい理性的な「代理人」である「学術的な知」を介して、むしろ徹底的に行使されるようになった、フーコーはそう考えます。

3　身体も一個の社会制度である

知と権力は近代において人間の「標準化」という方向をめざしてきた、というのがフーコーの基本的な考え方です。標準化はさまざまな水準で進行します。そのもっとも顕著なのが「身体」に対する標準化の圧力です。

私たちは身体というものを生理的・物理的「自然」であり、それは古今東西どこにおいても同じような機能を果たしており、古代人であれ現代人であれ、知覚や身体操作に、本質的な差異はないと思っています。しかし、フーコーによれば、身体もまた「意味によって編まれた」という点で、一個の社会制度に他なりません。

「意味によって編まれた身体」とはどういうものなのか、さきほどは「肩凝り」という身体現象が、日本語話者に固有のものだという例を挙げましたが、もう一つ例を挙げておきましょう。

「歩く」という動作は非常に単純なもので、世界中どこでも人間は同じように「歩いている」と私たちは考えがちですが、そんなことはありません。日本の伝統的な歩行法は「ナンバ」のすり足というものです。「ナンバ」というのは右足を踏み出すときは右半身が前に、左足を踏み出すときは左半身が前になる歩き方です。いまでは相撲のすり足に名残りをとどめているだけで、日常生活からはほぼ完全に消え去りました。

武智鉄二によれば、この歩行法は温帯モンスーン地帯の泥濘《でいねい》で深田耕作をする農民にとって労働するに際して、もっとも自然な労働の身体運用だったと推察されています。（『伝統と断絶』）

明治維新まで日本人は全員がナンバで歩行していました。ですから、中世の絵巻物でも江戸時代の浮世絵でも、「走っている人」はすべて「阿波踊り」のように手を斜め前方に差し出して、ナンバで移動している姿が描かれているのです。（養老孟司、甲野善紀『古武術の発見』）

この歩行法は明治維新後に政治主導で「廃止」されることになりました。軍隊の行進をヨーロッパ化するために新しい歩き方が導入されたからです。爪先を振り上げ、踵《かかと》から落とし、腕を反対に振ってバランスを取る、新しい歩き方を習得させるために、全国の学校で「朝礼」というものが行われ、子どもたちはこの歩き方をその幼い身体に刷り込まれました。しかし、数千年の伝統的身体運用が一朝一夕で改まるものでもありません。ナンバが完全に消えるまでに、さらにそれから百年以上の歳月を要しました。着物が普段着でなくなり、畳の部屋が減り、足袋や下駄を履く習慣が消えると同時に、ゆっくりとナンバも消滅したのです。(いまのTVの時代劇に出てくる俳優たちの身体運用は現代人の身体運用です。昔の人はあんなふうに歩いたり走ったりしていたわけではありません。)

私たちの身体は、そのときどきの固有の歴史的・場所的条件に規定されて「歴史化」されています。明治時代にナンバで歩行することは「近代化」にあらがうことでした。私が子どもだったころ、朝礼のときにナンバで歩いた子どもに教師は不必要なほど激しい叱責を加えていました。いまにして思えば、あれはナンバで歩くことを、「国策としての身体の近代化」に異議を唱える反逆行為とみなした明治の学校教育の「名残」だったのです。

ある身体運用をすることが、あるいはある身体部位を意識することが、社会的な記号として機能し、あるメッセージを発信する、ということがあるのです。

アメリカ開拓期の伝説的英雄たち(ダニエル・ブーン、デイビー・クロケットら)はいずれも法外な「巨体」の持ち主であると伝えられています。ある伝承によれば、ダニエル・ブーンはケンタッキーの彼の住まいの百マイル先に他の開拓民がやってきたときに「ヤンキーの体臭が臭くてかなわない」とこぼして、さらに奥地に引っ越したと言われています。つまりダニエル・ブーンの「パーソナル・スペース」は半径百マイルあったわけです。(亀井俊介『アメリカン・ヒーローの系譜』)

開拓時代の伝説的英雄たちは、それだけ「場所塞《ふさ》ぎ」な存在であったわけですが、一九世紀はじめの北米では、それこそが彼らの社会的威信の記号でした。その時代のアメリカでは、「身体は大きければ大きいほど、よい」という身体観が公共的に承認されていたのです。

それから二百年後のアメリカでは、「場所塞ぎである」ことは社会的威信どころか自己管理能力の欠如の記号とされています。現代のアメリカ紳士は必死になってダイエットに励み、シックな服装をし、控え目なコロンをつけて、できるだけ「目立たず」「場所塞ぎにならない」ことをめざしています。それはごく単純には、住民一人当たりの国土面積が開拓時代とは比較にならないくらい狭隘になったせいです。一人当たりの空間が狭くなれば、「理想的身体」のあり方も変わります。かつて開拓時代の男たちにとって、成功と力の象徴であったはずの腹部の贅肉《ぜいにく》を削ぎ落とすために、いまのアメリカ男性は必死になってワークアウトにいそしんでいます。歴史的状況が変われば、身体のあり方も変わります。おそらく、それが感じるであろう快楽も、苦痛も。

4　王には二つの身体がある

フーコーは身体の苦痛についても興味深い考察を行っています。刑罰の歴史における身体刑の分析を通じて、前近代の身体刑があれほど残忍であったのは、刑罰がめざしていた身体が私たちの身体とは「違う身体」だったからだ、とフーコーは論じています。

その論拠をフーコーは絶対王政期の「国王二体論」から導出してきました。

「国王には二つの身体がある」という「国王二体論」は、カントーロヴィチの『王の二つの身体』という法思想史研究によって知られるようになった概念です。英国のエリザベス一世治下の判例集には次のような驚くべき規定があります。

「王は自らのうちに二つの身体、すなわち自然的身体と政治的身体を有している。彼の自然的身体は、可死的身体である。しかし、彼の政治的身体は、目で見たり手で触れることのできない身体であって、政治組織や統治機構から成り、人民を指導し、公共の福利を図るために設けられたのである。」（カントーロヴィチ『王の二つの身体』）

国王はふつうの人間と同じように傷つき、病み、死ぬ第一の身体の他に、不死にして不壊《ふえ》の第二の身体を持っており、この第二の身体、「政治的身体」こそが主権王国の永続性と正統性を担保するものと法学者たちは考えたのです。つまり、さきほど私たちが使った用語で言えば、「政治的身体」とは「意味によって編まれた身体」ということになります。

フーコーはこの国王二体論に着目して、国王を弑逆《しいぎゃく》しようとした大逆罪の犯人への残忍極まりない身体刑の意味を解き明かします。フーコーによれば、大逆罪とは王の「自然的身体」ではなく、その「政治的身体」を侵そうとした行為なのです。だからこそ、その刑罰は罪人の「自然的身体」ではなく、「政治的身体」をこそ標的とすることになります。

車裂きとか、火刑とか、溶けた鉛を傷口に流し込む刑とかの残虐極まりない身体刑が狙っていたものは、受刑者個人の脆く、傷つきやすく、すぐに死んでしまう「自然的身体」ではありません。そうではなくて、大禁を侵した者が毀損《きそん》した「王の政治的身体」の対極に、それに拮《きっ》抗《こう》する、不死にして不壊の「弑逆者の政治的身体」を想定して、大がかりな身体刑によってそれを破壊することをめざしたのです。

大逆罪の身体刑は、罪人の「恐るべき政治的身体」を破壊することをめざしていたからこそ、自然的身体を破壊するために必要な暴力の何倍もの暴力を動員し、かつ華やかな祝祭性のうちに執行されることになりました。

大逆罪の身体刑は、国王の「政治的身体」の不可侵性を奉祝するという意味では、「負の戴《たい》冠式《かん》」です。その壮麗な儀礼や言説は、「処罰を受ける罪人に『マイナスの権力記号』を刻印するためのもの」です。そうやって、「政治的領域の最暗部に、有罪者は国王と対称的な、ただし逆転された形姿を浮かび上がらせた」のです。（フーコー『監獄の誕生』）

身体刑は、受刑者の終わりない苦痛と絶叫のうちで、王の「政治的身体」が神聖不可侵であり、王国は永遠不滅であるという確信を王と臣民が喜びとともに分かち合うための儀礼でした。そのとき、刑の現場に居合わせたすべての臣民は、王の「政治的身体」と死刑囚の「政治的身体」が剣を手に死闘を演じている、「もう一つの身体」の水準を幻視していたに違いありません。

「政治的身体」は生理的・物理的な実体である身体とは別の水準に確固として存在する、「意味によって編まれた身体」です。それは信仰や政治的イデオロギーが骨格をなし、血液の代わりに記号や象徴が環流しているような身体です。

たしかに、中世ヨーロッパの騎士の身体や殉教者の身体は、現代人の身体とは別種の「意味」で編まれていたと思われます。そうでなければ、騎士や殉教者が戦場や火刑台で、恐るべき身体的苦痛を、ときには強烈な宗教的法悦や陶酔感とともに経験したという証言を理解することはできません。近代史においても、ロシア遠征のときのナポレオン軍の兵士たちは、戦傷で手足切断の手術を受けたあと、そのまま騎乗して再び最前線に飛び出していったと伝えられています。

苦痛は万人が経験するものですが、あらゆる社会あらゆる時代において同じ強度で、同じ仕方で、同じ痛みとして経験されるわけではありません。「現に、苦痛が耐えきれなくなる閾値《いきち》には個人差があるだけでなく、その個人がどのような文化的バックグラウンドを有しているかによっても異なることが知られている」のです。(R・レイ『痛みの歴史』)

身体的苦痛のような物理的・生理的経験でさえ、歴史的あるいは文化的な条件づけによってまったく別のものとなります。何を苦痛と感じ、何を苦痛と感じないか、という「苦痛の閾値」はその人がどういう文化的ネットワークの中に位置しているかによって変化します。

それを逆から言えば、身体を文化的な統制、あるいは政治的な技術によって造型し直し、変容し、馴致《じゅんち》することだってできるはずです。さきほどのナポレオン軍の兵士の例をとれば、「フランス革命の大義」についての徹底的なイデオロギー教育が成功していれば、「苦痛を感じない身体」を持つ兵士たちを育て上げることも理論的には可能のはずです。「苦痛を感じない兵士」は無敵の兵士です。あらゆる政治権力がその民衆の支配と統制において、まっすぐに民衆の身体を操作対象に照準してきたのは、ですから当然のことなのです。

5　国家は身体を操作する

フランス近代における兵士の造型についてフーコーはこう書いています。

「一八世紀後半になると、兵士は造型されるものとなった。まるでパスタを練り上げるように、兵役不適格な身体を材料に、必要な機械が造り出されたのである。姿勢が少しずつ矯正《きょうせい》された。計算ずくの束縛がゆっくりと全身にゆきわたり、身体の支配者となり、全身をためて、いつでも使用可能なものに変えた。それはさらに日常的な動作の中にそっと入り込み、自然な反応として根づいたのである。こうして、身体から『農民臭さ』が追い払われ、『兵士の風格』が与えられたのである。」（『監獄の誕生』）

同じことは日本でも行われています。明治維新後、山県有朋《やまがたありとも》の主唱によって明治六年に国民皆兵を標榜する徴兵制が導入されました。この制度のねらいは、天皇の直接指揮下に国軍の兵士を組織化することであり、短期的には、各地で不穏な動きを示す（佐賀の乱、神風連《しんぷうれん》の乱、萩の乱）不平士族を牽制《けんせい》する意味もありました。

このとき山県の念頭にあった近代兵制のキーワードは「統制」でした。

それは二つのことを意味しています。一つには明治政府の指揮に従おうとしない各藩の士族兵を「統御する」こと、第二には、これまで武装したことのない農民商人ら平民の身体を軍事的に「標準化する」ことです。つまり農民兵の身体を「標準化する」ことをもって、中央権力に服さない士族兵の身体を「統御する」という二つの水準での「身体の統制」を山県有朋は企てていたのです。

明治十年の西南戦争は、その農兵がはじめて薩摩の士族兵と死闘を演じて勝利を収めた戦闘でした。このとき大久保利通らは緒戦の不利を重く見て、緊急避難的措置として、各藩から士族兵を募ることを主張しました。しかし、山県はあくまで平民からの徴兵にこだわり、とにかく農兵を訓練して戦地に派遣する、という基本方針を譲らず、「軍事に臨んで生兵を徴集し、之を練習して戦に臨ましむるは、少々迂闊《うかつ》なるに似たれども、練習数月、もって出兵せしむるに足る」と主張したのです。（北澤一利『「健康」の日本史』）

奇兵隊以来の歴戦の戦闘指揮官である山県有朋は、ある意味で、近代日本でもっともフーコー的な「身体の政治技術」に通暁していた人物かも知れません。人間の身体は政治的な技術によって「加工」することが可能であり、それは「練習数月」をもって足りるという山県のリアリズムは、人間の身体というのはどうすれば動き、どうすれば縮み上がり、どうすれば死をも恐れぬ強兵となるかの「操作」技術を、剣戟と砲声の中で身を以て習得した者に固有のものでしょう。

この軍事的身体加工の「成功」(西南戦争の勝利)をふまえて近代日本は、「体操」の導入に進みます。明治十九年、文部大臣森有礼《ありのり》は軍隊で行われていた「兵式体操」を学校教育の現場に導入します。生徒たちの身体の統制が「道徳の向上」と「近代的な国家体制の完成」に不可欠のものであることを森はただしく看取していたのです。国家主導による体操の普及のねらいはもちろん単なる国民の健康の増進や体力の向上ではありません。そうではなくて、それはなによりも「操作可能な身体」、「従順な身体」を造型することでした。

「軍隊では体操は、素人兵に集団戦法を訓練するときに使われました。体操は、一人一人ではたいした力を期待できない戦いの素人たちを、号令とともに一斉に秩序正しく行動できるように訓練します。近代的軍隊においては、兵士たちは個人的な判断で臨機応変に戦うというよりも、集団の中においてあらかじめ決められたわずかな役割を任命され、合図に応じてこれを繰り返し反復するだけです。(略)体操が集団秩序を高めることを目的とするのは、この戦術上の必要を満たすためであり、いいかえれば、それは平凡な能力しか持たない個人を有効に活用するための方法であったのです。」(『「健康」の日本史』)

近代国家は、例外なしに、国民の身体を統御し、標準化し、操作可能な「管理しやすい様態」におくこと――「従順な身体」を造型することを最優先の政治的課題に掲げます。「身体に対する権力の技術論」こそは近代国家を基礎づける政治技術なのです。

その技術は、当然、最初は、国家の武装装置である兵士の身体の標準化と統制に向かいます。しかし、そこにとどまるわけではありません。森有礼の兵式体操と同じく、その次には必ず「監視され、訓練され、矯正される人々、狂人、子ども、生徒、植民地先住民、生産装置に縛りつけられる人々、生きているあいだずっと監視される人々」(『監獄の誕生』)に向けて、同じ政治技術が適用されることになります。

身体を標的とする政治技術がめざしているのは、単に身体だけを支配下に置くことではありません。身体の支配を通じて、精神を支配することこそこの政治技術の最終目的です。この技術の要諦《ようてい》は、強制による支配ではありません。そうではなくて、統御されているものが、「統御されている」ということを感知しないで、みずから進んで、みずからの意志に基づいく、みずからの内発的な欲望に駆り立てられて、従順なる「臣民」として権力の網目の中に自己登録するように仕向けることにあります。

政治権力が臣民をコントロールしようとするとき、権力は必ず「身体」を標的にします。いかなる政治権力も人間の「精神」にいきなり触れて、意識過程をいじくりまわすことはできません。「将を射んとすればまず馬を射よ」。「精神を統御しようとすれば、まず身体を統御せよ」です。

「身体は政治的領域に投じられる。権力の網目が身体の上でじかに作用する。権力の網目が身体にかたちを与え、刻印を押し、訓育し、責めさいなみ、労働を強い、儀式への参加を義務づけ、そして、記号を持つことを要請するのである。」（『監獄の誕生』）

権力が身体に「刻印を押し、訓育し、責めさいなんだ」実例を一つ挙げておきましょう。一九六〇年代から全国の小中学校に普及した「体育坐り」あるいは「三角坐り」と呼ばれるものです。

ご存知の方も多いでしょうが、これは体育館や運動場で生徒たちをじべたに坐らせるときに両膝を両手で抱え込ませることです。竹内敏晴によると、これは日本の学校が子どもたちの身体に加えたもっとも残忍な暴力の一つです。両手を組ませるのは「手遊び」をさせないためです。首も左右にうまく動きませんので、注意散漫になることを防止できます。胸部を強く圧迫し、深い呼吸ができないので、大きな声も出せません。竹内はこう書いています。

「古くからの日本語の用法で言えば、これは子どもを『手も足も出せない』有様に縛りつけている、ということになる。子ども自身の手で自分を文字通り縛らせているわけだ。さらに、自分でこの姿勢を取ってみればすぐに気づく。息をたっぷり吸うことができない。つまりこれは『息を殺している』姿勢である。手も足も出せず息を殺している状態に子どもを追い込んでおいて、やっと教員は安心する、ということなのだろうか。これは教員による無自覚な、子どものからだへのいじめなのだ。」（竹内敏晴『思想する「からだ」』）

生徒たちをもっとも効率的に管理できる身体統御姿勢を考えた末に、教師たちはこの坐り方にたどりついたのです。しかし、もっと残酷なのは、自分の身体を自分の牢獄とし、自分の四肢を使って自分の体幹を緊縛し、呼吸を困難にするようなこの不自然な身体の使い方に、子どもたちがすぐに慣れてしまったということです。浅い呼吸、こわばった背中、痺《しび》れて何も感じなくなった手足、それを彼らは「ふつう」の状態であり、しばしば「楽な状態」だと思うようになるのです。

竹内によれば、戸外で生徒を坐らせる場合はこの姿勢を取らせるように学校に通達したのは文部省で、一九五八年のことだそうです。これは日本の戦後教育が行ったもっとも陰湿で残酷な「身体の政治技術」の行使の実例だと思います。

6　人はなぜ性について語りたがるのか

フーコーの晩年の情熱は大著『性の歴史』に注がれました。フーコーがそこでめざしたことの一つは「人はなぜ性についてこれほど熱情を込めて語るのか」という疑問に答えることでした。

フーコーのこの疑問には、私も深い共感を覚えます。どうして、私たちはこれほど熱心に性的な快楽や倒錯や奇習や情熱や禁忌や神秘について語るのでしょう。

私自身は性を話題にする習慣を持たない人間なので、小説家や社会学者やフェミニストや週刊誌が、性にかかわる「新しい」言説を絶えず生産し流通させるべく、額に汗して奮闘努力しているのを眺めながら、「この人たちを性について語ることへ駆り立てる情熱は何に由来するのだろう」とつねづね不思議に思っていました。

ほんとうに、どうしてなんでしょう。

六〇年代によく聞かされていた説明は、「久しく性は抑圧され、権力的に管理されてきた。そして、性について自由に語ることは禁じられてきた。いまや、この抑圧をはねとばして、自由に性について語り合う権利をぼくたちは奪還した。さあ、どんどん語ろうじゃないか。倒錯とか変態とか不倫とか、野暮は言いっこなしさ。ぼくたちは自由で解放された人間なんだから、はははは」というようなものでした。私はこういう類のことを言う人間をまったく信用しておりませんでしたが、どうもそれから四十年近くたっても、性について語る学者のくちぶりはこれとたいして変わってはいないようです。さいわいフーコーも私と同じ不満を抱いているようです。

「数十年来、性について語るとき、私たちはつい気負い込んだ口調になるのが常であった。既成秩序への反逆の意識、自分が秩序紊乱《びんらん》者であることの自覚、現状を憂い未来を呼び求める熱情（略）。権力に抗して語ること、真実を述べること、享楽を約束すること、啓蒙と解放と肉の快楽を一つに結びつけること、知への情熱と掟を変えんとする意志と夢見られた愉悦の楽園とが一つになった言説を語ること、これらが、おそらく性を抑圧の語法で語ろうとする私たちの熱情を内側から支えている。」（『性の歴史』）

フーコーはこのような「抑圧からの性の解放」を呼号する言説の群を「社会の病的症候」と見なします。そしてそれに冷徹な批判的視線を向けるのです。

なぜ「私たちは性的に抑圧されている」と言うだけのために、人々は「これほどの情熱」を無償で捧げるのか。そもそもほんとうに性は「抑圧」されているのか。性的抑圧を告発していると称するこれらの言説群は、実は告発されている当の制度と「同じ歴史的網の目に属している」もの、同じ材質で編まれたものではないか、とフーコーは畳みかけます。そして、性を語る言説群を、近代を貫く「知への意志」――あらゆる人間的事象を「一覧的カタログ」にとりまとめようとする法外な野心――という地下水流の中に位置づけるのです。

ヨーロッパにおいては、一七世紀からあと「性について語ること、いよいよ多くを語ることへの制度的な煽動」という事実が観察されています。

それまでもカトリック信者は告解において性生活について詳細な報告をすることを義務づけられていました。（体位や愛撫の仕方や快楽の正確な瞬間などについての微細にわたる質疑応答は久しく告解室で行われていたのです。）

ここに、新しいタイプの性の言説が登場してきます。まずは文学です。

「実際になされた行為のみならず、官能的な触れ合い、あらゆるよこしまな視線、すべての猥《わい》褻《せつ》な言葉……すべての妄念」を精密に再現することが文学の新たな使命として推奨されます。

(この冒険的企図の最初の英雄はサド侯爵です。)

ついで医学が登場します。性的逸脱は久しく「自然に反する罪」として、刑事罰の対象でしたが、一九世紀になると、それは「治療」の対象となります。そして徹底的に科学的な調査が性的逸脱について実施されるようになります。「患者」はその遺伝的資質をたどられ、解剖学的異常や器質疾患が探られ、そのすべてが科学の用語で「言説化」されます。こうして膨大な数の性的異常のカテゴリーが作り出されます。露出症、呪物崇拝症、動物愛好症、視姦愛好症、女性化症、老人愛好症、冷感症……あらゆる性的逸脱のカタログ化に医学者たちは科学的熱情を捧げます。その感動的なまでの分類への情熱は、とても性的逸脱の「排除」や「抑圧」をめざしているようには思えない、とフーコーは考えます。

「これら無数の倒錯的性行動を排除する? そんなはずがない。そうではなくて、目的は、これらの性行動のすべてをカタログ化し、一覧的に位置づけることなのだ。重要なのは、あらゆる性行動を無秩序に列挙しているように見せかけながら、実はそれらを現実のうちに整序し、個人のうちに統合することなのだ。」(『性の歴史』)

人間のとりうるあらゆる性行動についての網羅的なカタログを作り上げること、それを公共化すること、「嗜好」を共有するマニアたちを組織化すること、買売春やポルノグラフィーを扱う性商品市場を立ち上げること、医学、精神病理学、社会学などを「性についての学知」として編成すること……これらの無数の水流が「性の言説化」という滔々たる大河の流れを構成していきます。そして、一糸乱れず一方向へと向かってゆく、この「統御された欲望」のあり方のうちに、フーコーは近代の権力装置の効果を見て取るのです。

「単に性に関して語ることのできる領域が拡大され、かつ絶えずその拡大することが人々に強制されてきた、というだけではないのだ。際立っているのは、言説が、ある複雑で多機能的な仕掛けを介して、性に接合されたということだ。その仕組みを禁止の掟との関係で言い尽くすことはできない。性についての検閲？　違う。そこに設置されたのは、性にかかわる言説を生産する装置、いよいよ多くの言説を生み出す装置なのだ。」(『性の歴史』)

フーコーの社会史を読むときにたいせつなことは、この性の言説化についての批判から窺い知れるように、「権力」ということばを単純に、「国家権力」とか、それがコントロールしている各種の「イデオロギー装置」という実体めいたものとしてとらえてはならないということです。「権力」とは、あらゆる水準の人間的活動を、分類し、命名し、標準化し、公共の文化財として知のカタログに登録しようとする、「ストック趨向性《すうこう》」のことなのです。ですから、たとえ「権力批判」論であっても、それが「権力とはどのようなものであり、どのように機能するか」を実定的に列挙し、それを「カタログ化し、一覧的に位置づけ」ることを方法として選ぶ限り、その営《いとな》みそのものがすでに「権力」と化していることになります。

フーコーは「権力批判」の理説を立てた、というふうに要約することはフーコーのほんとうの企図を逸することになります。フーコーが指摘したのは、あらゆる知の営みは、それが世界の成り立ちや人間のあり方についての情報を取りまとめて「ストック」しようという欲望によって駆動されている限り、必ず「権力」的に機能するということです。

ですから、そう書いている当のフーコー自身の学術的な理説も、そしてフーコー理論を祖述したり紹介したりしているすべての書物も（もちろん本書も）、宿命的に「権力」的に機能することになります。

現に、フーコーの著作はいまでは全世界の社会科学・人文科学の研究者の必読文献であり、それを「勉強する」ことはほとんど制度的な義務となっています。院生たちはフーコーの術語を駆使し、フーコーの図式に準拠して思考し、推論することをほとんど強制されています。これこそ「権力＝知」の生み出す「標準化の圧力」でなくて何でしょう。この逆説をフーコー自身はおそらく痛切に予知していたはずです。

制度に「疑いのまなざし」を向けているおのれの「疑い」そのものまでが、「制度的な知」として、現に疑われている当の制度の中に回収されてゆくことへの不快。そのことに気づかずに「権力への反逆」をにぎやかに歌っている愚鈍な学者や知識人への侮蔑。この不快にドライブされた徹底的な自己言及がフーコーの批評性の真骨頂です。(この「大衆嫌い」もニーチェからフーコーが受け継いだ知的資質の一つです。)

ここにいるこの「私」は、いったいどのような「前史」を経由して形成されてきたのか。それを問うのがフーコーの批評性の構造ですが、実はそれは「自分自身の肉眼で自分の後頭部を見たい」というのにも似た不可能な望みなのです。しかし、この不可能な望みに有り金を賭けた無謀さによってミシェル・フーコーの仕事はこの先も長く敬慕され続けることでしょう。

第四章 「四銃士」活躍す その二
――バルトと「零度の記号」

1 「客観的ことばづかい」が覇権を握る

バルトの仕事はまとめて「記号学」という名称のもとに包括することができます。「記号」（signe）というのはソシュールが定義して使い始めた術語です。私たちもふだんとくに気にせずに「何かのしるし」という広い意味で「記号」ということばを使っていますが、ソシュールの定義はもう少し厳密です。「あるしるしが、何かを意味すること」、これがいちばん広義の「記号」の定義ですが、「あるしるしが何かを意味する」場合にはいろいろな水準があるからです。

例えば、「空いっぱいの黒雲」は「嵐」の「しるし」です。しかし、これはソシュールの定義では「記号」には含まれません。というのは、「空いっぱいの黒雲」と「嵐」のあいだには、自然的な因果関係があるからです。「稲妻」と「雷鳴」や、「あくび」と「眠気」も同様です。いずれも自然な関係によって結ばれていて、人間の作った制度が介在する余地がありません。これは「徴候」(indice)と呼ばれます。

トイレの入り口には、そこが紳士用であることを示す「しるし」として「スーツを着た人型の紺色のシルエット」が描いてあることがあります。(そういう場合は、反対側のドアには「スカートをはいた人型の赤色のシルエット」が描かれているのがふつうです。)この看板も「あるしるしが何かを意味する」ことに変わりはありませんが、やはり「記号」とは呼ばれません。これは「象徴」(symbole)と呼ばれます。

「象徴」と「記号」は似ていますが別のものです。というのは、「象徴」は、それが指示するものと、どんなにわずかであれ、何らかの現実的な連想で結ばれているからです。(現に、多くの男性サラリーマンは「紺色のスーツ」を着用しています。)

「てんびん」は「裁きの公正」の「象徴」ですが、これは「てんびん」の「軽重を測定する」という機能が「裁き」を連想させることで成り立つ結びつきです。「てんびん」の代わりに「やかん」を持ってきて、裁判所の前に掲げても「象徴」としては機能しません。象徴は「何でもいい」というわけにはゆかないのです。

一方、トイレのドアに書いてある「紳士用」という文字、これこそが「記号」です。この文字と、「男性はここで排泄を行う」という生活習慣の間には、「人為的な取り決め」以外のいかなる自然的結びつきも存在しないからです。

この場合の「しるし」は言語共同体ごとにすべて違います。(英語圏ではGentlemen フランス語圏ではHommesと表記されますが、ご覧のとおり、まったく別の「しるし」です。)それに、「男性はここで排泄を行うべし」という習慣だって、よくよく考えてみれば、世界中すべての集団にあるとは限りません。(排泄の場所に性別ではなく『大人か子どもか』「体重六十キロ以上か以下か」「肉食家かベジタリアンか」といった区別を設けている集団だってあるかも知れません。)

ご覧のとおり、記号というのは、ある社会集団が制度的に取り決めた「しるしと意味の組み合わせ」のことです。記号は「しるし」と「意味」が「セット」になってはじめて意味があります。また、「しるし」と「意味」のあいだには、いかなる自然的、内在的な関係もありません。そこにあるのは、純然たる「意味するもの」と「意味されるもの」の機能的関係だけです。

例えば、将棋をさしていて、歩が一個見当たらなくなったときに、「じゃ、これ歩ね」と言って蜜柑《みかん》の皮をちぎってその切れはしを将棋盤に置いても、対局者二人がその「取り決め」に合意してさえいれば、将棋のゲームは遅滞なく進行します。でも、「蜜柑の皮」と「歩」のあいだには、いかなる自然的、社会的な結びつきもありません。

このでたらめさが「記号」の本質なのです。

ソシュールは「蜜柑の皮」のような人為的につくられた「しるし」を「意味するもの」(signifiant シニフィアン)、「将棋の歩のはたらき」を「意味されるもの」(signifié シニフィエ)と呼びました。記号とは、意味するものと意味されるものの「セット」である、とさきほど書きましたが、この二つを合わせたものが「記号」です。

この例でお分かりのように、あるシニフィアンとあるシニフィエを結びつけるためには「集合的な記号解読ルール」を取り決めることが必要であり、かつそれで十分なのです。

言語ばかりではなく、礼儀作法も服装も食べる料理も好きな音楽も乗っている自動車も住んでいる家も、すべては記号として機能します。ですから、記号学というのは、私たちの身の回りのどんなものが記号となるのか、それはどんなメッセージをどんなふうに発信し、どんなふうに解読されるのか……を究明する学問ということになります。ソシュールは記号学をこんなふうに定義しています。

「社会的活動の中での記号の働きについて研究する学問というものを私たちは構想することができる。(略) 私たちはそれを(ギリシャ語の『セメイオン(記号)』にちなんで)記号学(セミオロジー)と名づけようと思う。この学問は、記号の本質とは何か、いかなる法則性が記号を統御しているのかを問うものとなるであろう。記号学はまだ存在していない。だから、それがどのようなものであるのかを言うことはできない。しかし、記号学は存在する権利を有しており、その地位はあらかじめ決定されている。言語学はこの包括的な学問の一部分にすぎない。」(『一般言語学講義』)

ソシュールがこう予言した記号学を実際に展開し、文学テクスト、映画、舞踊、宗教儀式、裁判、ファッション、自動車、モード、広告、音楽、料理、スポーツ……およそ目に触れる限りの文化現象を「記号」として読み解いたのがロラン・バルトです。

ロラン・バルトの多彩な記号学的知見のうち、本書では「エクリチュール」という概念と「作者の死」という概念の二つだけを取り上げて解説することにします。他にもいろいろスリリングな概念があるのですが、この二つさえ分かれば、あとは「バルトだったら、こんなことを言いそうだ」ということは類推できると思います。

「エクリチュール」というのは、いまでも文芸批評などでときどきお目にかかることばですが、六〇年代にバルトが大流行していたころもいまも、語の定義がはっきりせず、「何となくこんな意味ではないか……」というような頼りない用例が多かったように記憶しています。まず術語の定義だけ済ませておきましょう。

ソシュールにおいて見たように、私たちの思考や経験の様式は、私たちの言語に多く依存していますから、用いる言語が異なれば、それに応じて思考や経験の様式も変わります。私たちが母国語で、自由に語り、好きに書いていると信じているときでも、私たちはそれと気づかぬうちに、ある「不可視の規則」に従って言語を運用しています。ここまではもうみなさんも了解していただいていると思います。

さて、バルトは、この「不可視の規則」に二種類のものがある、と考えました。それが「ラング」(langue) と「スティル」(style) です。

ラングというのはとりあえずは「国語」のことです。(「国語」というと、「国家」の「公用語」という限定的な意味になってしまうので、この訳語はできれば使いたくありません。あるラングを共有する「言語共同体」は必ずしも政治単位としての国家とぴたりと重なり合うわけではないからです。)

とりあえず私たちは日本語というラングを母国語としています。ですから、日本語で書いたり話したりするときには、日本語の文法に従い、日本語の語彙を用い、日本語に登録されている音を発音します。何かを伝えようと思えば、(たとえ自分自身に向かって心の中で一人ごとを言う場合でさえ) 私たちは日本語として通じることばづかいをしなければなりません。これがラングです。バルトの定義を借りれば、「ある時代の書き手全員に共有されている規則と習慣の集合体」です。

　ラングが「外側からの」規制だとすると、それとは別にもう一つ、私たちが何かを語る場合、私たちの言語運用を「内側から」規制するものがあります。私たちの個人的な「言語感覚」とでもいうべきものです。

　私たちは一人一人、固有の言語感受性を持っています。話すときなら、速度、リズム感、音感、韻律、息づかい……、書くときには、文字のグラフィックな印象、比喩、文の息の長さ……どれについても私たちはみな「個人的な好み」があります。切れのいいリズミカルな語り口が好きな人もいれば、ゆっくり流れるように書くのが好きな人もいます。白々とした頁が好きな人もいれば、漢字や英語や特殊記号がぎっしり詰まった頁に嗜癖を示す人もいます。これはその人の「好み」という以外に説明のしようがありません。この好みは一人一人の身体の深くに根を下ろしたものであり、私たちの語ることば、書くことばのすべてに「指紋」のようについて回ります。

「書き手の栄光、牢獄、孤独」であるこの個人的で生来的な言語感覚をバルトは「スティル」と呼びます。「スティル」というのはふつう「文体」と訳されますが、それでは次に説明する「エクリチュール」と区別しにくいので、あえてフランス語のままにしておきます。

さて、このように、ラングは外側から、スティルは内側から、二種類の「見えざる規制」として、私たちのことばづかいを統御しています。

しかし、実は私たちのことばづかいを規制しているのは、この二つだけではないのです。バルトはこの他に第三の規制を発見します。それが「エクリチュール」(écriture)です。

ラングにせよ、スティルにせよ、私たちはそれを選ぶことができません。(私にとって日本語はそれなしには何も考えることのできない母国語ですし、語感やリズムに対する好みは、意識的に変えようとしても変えられません。)しかし、ある国語の内部に生まれ、ある生得的な言語感覚を刻印されたとしても、それでもなおことばを使うときに、私たちはある種の「ことばづかい」を選択することが許されます。

この「ことばづかい」が「エクリチュール」です。

エクリチュールとスティルは違います。スティルはあくまで個人的な好みですが、エクリチュールは、集団的に選択され、実践される「好み」です。

例えば、中学生の男の子が、ある日思い立って、一人称を「ぼく」から「おれ」に変更したとします。この語り口の変更は彼が自主的に行ったものです。しかし、選ばれた「語り口」そのものは、少年の発明ではなく、ある社会集団がすでに集合的に採用しているものです。それを少年はまるごと借り受けることになります。

さて、この「ぼく」から「おれ」への人称の変化はそこにとどまらず、たちまち彼のことばづかいの全域に影響を及ぼします。発声も語彙もイントネーションも字体も、みな変化します。それどころか、髪型、服装、嗜好品から生活習慣、身体運用にいたるまで、少年は「おれ」という一人称に相応《ふさわ》しいものに統制する無形の圧力を感じずにはいられません。(「熊ちゃんのパジャマ」のようなものを着て寝るわけにはゆかなくなるのです。)

「エクリチュールとは、書き手がおのれの語法の『自然』を位置づけるべき社会的な場を選び取ることである」とバルトは書いています。

「私たちは誰しもが、自分の使っている語法の真理のうちに、すなわちその地域性のうちに、からめとられている。私の語法と隣人の語法の間には激烈な競合関係があり、そこに私たちは引きずり込まれている。というのも、すべての語法(すべてのフィクション)は覇権を争う闘争だからである。だから、ひとたびある語法が覇権を手に入れると、それは社会生活の全域に広がり、無徴候的な《偏見》(doxa)となる。政治家や官僚が語る非政治的なことば、新聞やテレビやラジオがしゃべることば、日常のおしゃべりことば、それが覇権を握った語法なのだ。」(『テクストの快楽』)

この文章では、バルトは「語法」(langage)という語を「エクリチュール」とほぼ同じ意味で使っています。私たちは自分が属する集団や社会的立場によってさまざまな「ローカルなことばづかい」を選択しています。(一人の人間としても相手や局面に応じて複数の語法を使い分けています。)そして、ひとたびある語法を選んだとたんに、自分の選んだ語法が強いる「型」にはめこまれてしまいます。

例えば、私が「おじさんのエクリチュール」で語り始めるや、私の口は私の意志とかかわりなしに突然「現状肯定的でありながら愚痴っぽい」ことばを吐き出し始めます。「教師のエクリチュール」に切り替えると、とたんに私は「説教臭く、高飛車な」人間になります。同じように、ヤクザは「ヤクザのエクリチュール」で語り、営業マンは「営業マンのエクリチュール」で語ります。そして、そのことばづかいは、その人の生き方全体をひそかに統御しているのです。

そのような意味において、私たちは「エクリチュールの囚人」です。バルトが言うとおり、「エクリチュールが自由であるのは、ただ選択の行為においてのみであり、ひとたび持続したときには、エクリチュールはもはや自由ではなくなっている」のです。

ここでバルトが警告しているのは、あまりに広く受け容れられたせいで、特に「どの集団固有のエクリチュール」とも特定しがたくなった語法の持つ危険性です。

「無徴候的なことばづかい」、それが「覇権を握った語法」です。その語法はその社会における「客観的なことばづかい」です。つまり、何らかの主観的な意見を述べたり、個人的な印象を語ったりするのではなく、客観的に、私情を交えずに、価値中立的に語っているつもりでいるときに使うことばづかいがそれです。バルトは、そのような一見価値中立的に見える語法が含んでいる「予断」や「偏見」に注意を促しています。

「価値中立的な語法」のうちにこそ、その社会集団の全員が無意識のうちに共有しているイデオロギーがひそんでいる、というバルトのアイディアをもっとも巧みに活用したのはフェミニズム批評における言語論です。

フェミニズム批評理論によれば、私たちの社会における「自然な語法」とは、実は「男性中心主義」的な語法です。それはあらゆる記号操作を通じて、繰り返し男性の優位性と威信を語り、政治権力と社会的・文化資源がもっぱら男性にのみ帰属することを正当化する「ことばづかい」である、というのがフェミニズム言語論の主張するところです。ですから、男であれ女であれ、「自然な語法」で語るたびに、私たちの社会において「覇権を握った性イデオロギー」を繰り返し承認し、讃美していることになるわけです。

「覇権を握った性イデオロギー」を批判するためにはいったいどのような「ことばづかい」をすればよいのだろう、という困難な問いをめぐって、ショシャーナ・フェルマンはこう述べています。

「『我々のうちに埋め込まれている男性的精神を追い払う』ことが必要であることは私も認めているし、この主張を推奨したいとも思っている。しかし、そうは言っても、私たち自身、男性的な精神をすでに内包していて、社会に送り出されるときは、知らず知らずのうちに『男として読む』ように訓練されてしまっているのではあるまいか？　テクストを支配しているのは男性主人公なので、その男性中心的な見方に自己を同一化するようにと、私たちは訓練されてきた。男性主人公の見解が、世界全体を見る基準であると、私たちは思い込まされてきたのである。」（『女が読むとき　女が書くとき――自伝的新フェミニズム批評』）

フェルマンの言うとおり、私たちは（自分が「何ものであるか」を忘れて）実に簡単に「テクストを支配している主人公の見方」に同一化してしまいます。それが「現実の私」の敵対者や抑圧者であってさえ。

アメリカ映画『パールハーバー』を観ている私は、主人公と零戦との空中戦では、ひたすらアメリカ飛行士の勝利を念じ、零戦の撃墜を願っています。香港映画『ドラゴン怒りの鉄拳』では、悪逆非道な日本人武道家を蹴り殺すブルース・リーの活躍に熱い拍手を送ります。

別にこれは私に限ったことではありません。ある映画史家は、象牙海岸の映画館で、ジョージ・ラフト演じる白人の船長が追っ手から逃れるために、船を軽くしようと、「積み荷」である黒人奴隷をぽんぽんと海に投げ込む場面で、黒人観客がやんやの喝采を送っていたという事例を報告しています。（エドガール・モラン『映画――あるいは想像上の人間』）

人間というのは、そういうものです。

日常的な経験からも分かるとおり、私たちは決して確固とした定見をもった人間としてテクストを読み進んでいるわけではありません。むしろ、いまの映画の例から分かるように、テクストのほうが私たちを「そのテクストを読むことができる主体」へと形成してゆくのです。

テクストと読者のあいだにこのような「絡み合い」の構造があることに気づき、それを批評の基本原理に鍛え上げたこと、それがバルトのテクスト理論家としての最大の業績です。

テクストも読者もあらかじめ自立した項として、独立に自存するわけではありません。例えば、非常にインパクトの強い本の場合、最後まで読み終えたあと、そのまま間をおかずにもう一度はじめから読み直すことがあります。そして、その二度目に、私たちは一度目には気づかずに読み飛ばしていた「意味」を発見することがあります。なぜ、最初は見落としたこの「意味」を私は発見できるようになったのでしょう。それは、その本を　度最後まで読んだせいで、私のものの見方に微妙な変化が生じたからです。つまり、その本から新しい「意味」を読み出すことのできる「読める主体」へと私を形成したのは、テクストを読む経験そのものだったのです。

このテクストと読者のそれぞれがお互いを基礎づけ合い、お互いを深め合う、双方向的なダイナミズムに基づいて、バルトはテクストについてのまったく新しい理論を紡ぎ出すことになります。

2　読者の誕生と作者の死

バルトのこのテクスト理論は、「作者」という近代的な概念そのものがもう「耐用年数」を超えてしまったことを教えてくれました。

最近、インターネット上でのテクストや音楽や図像の著作権についていろいろな議論が展開していますが、バルトはいまから三十年前に、すでに「コピーライト」というものを原理的に否定する立場を明らかにしていたのです。

作品の起源に「作者」がいて、その人には何か「言いたいこと」があって、それが物語や映像やタブローや音楽を「媒介」にして、読者や鑑賞者に「伝達」される、という単線的な図式そのものをバルトは否定しました。音楽や映画のことはさておき、ここでは文学について話題を限定して話を進めることにしましょう。

「コピーライト」あるいは「オーサーシップ」という概念は、その文化的生産物が「単一の産出者」を持つ、という前提がないと成り立ちません。「作者」とは、何かを「ゼロから」創造した人です。聖書的な伝統に涵養《かんよう》されたヨーロッパ文化において、それは「造物主」を模した概念です。誰かが「無からの創造」をなしとげた。そうであるなら、創造されたものはまるごと造物主の「所有物」である。そう考えるのはごく自然なことです。

近代までの批評はこのような神学的信憑《しんぴょう》の上に成立していました。つまり、作者は作品を「無から創造した」造物主である、と。ですから、単に作品の流通頒布《けんぷ》によって生じた利益が作者に「印税」としてリターンされるだけでなく、作者こそ、その作品が「何を意味しているのか」について完全に理解し、作品の「秘密」を専一的に握っていると考えられたのです。

ならば、批評家は必ずやこの神＝作者に向かって、こう問いかけることになります。

「あなたはいったい、この作品を通して、何を意味し、何を表現し、何を伝達したかったのですか？」

これが近代批評の基本的なスタイルを作り上げます。批評家たちは「行間」を読んで作者の「底意」を探ることに熱中しました。

しかし、批評家たちもすぐにその仕事があまり実りのないものであることに気づきました。いろいろ調べてみると、作者たちは必ずしも「自分が何を書いているのか」をはっきり理解していたわけではなかったからです。

村上龍はあるインタビューで、「この小説で、あなたは何が言いたかったのですか」と質問されて、「それを言えるくらいなら、小説なんか書きません」と苦い顔で答えていましたが、これは村上龍の言うとおり。答えたくても答えられないのです。その答えは作家自身も知らないのです。もし村上龍が「あの小説はね……」と「解説」を始めたとしても、それは「批評家・村上龍」がある小説の「解説」をしているのであって、そこで語っているのは「作家・村上龍」ではありません。

言語を語るとき、私たちは必ず、記号を「使い過ぎる」か「使い足りない」か、そのどちらかになります。「過不足なく言語記号を使う」ということは、私たちの身には起こりません。「言おうとしたこと」が声にならず、「言うつもりのなかったこと」が漏れ出てしまう。それが人間が言語を用いるときの宿命です。

「作者が言おうとしたこと」を特定することの原理的な困難さを知った批評家たちは、しかたなく、作者が「それと気づかずに語ってしまったこと」に照準を合わせることにしました。

作者の家庭環境、幼児体験、読書経験、政治イデオロギー、宗教性、器質疾患、性的嗜癖……

などが今度は作品の「秘密」を教えてくれることになります。こうなると、批評家の仕事は、読解を通じて、作者を書くことへと動機づけた「初期条件」を探り当てることになります。それを正しく言い当て、作品の「成り立ち」を説明できれば、批評家の「勝ち」、作者の「秘密」に手が届かなければ、批評家の「負け」というわけです。現在でも、私たちが眼にする文芸批評の過半は、「作者に書くことを動機づけた初期条件の特定」というこの近代批評の基本パターンをしっかり踏襲しています。

バルトは近代批評のこの原則を退けました。

テクストが生成するプロセスにはそもそも「起源＝初期条件」というものが存在しないとバルトは言い始めたのです。そのことを言うために、バルトは「作品」ということばを避けて、「テクスト」ということばを選びました。

「テクスト」(texte) とは「織り上げられたもの」(tissu) のことです。

この「織り物」はさまざまなところから寄せ集められたさまざまな要素から成り立っています。一編のテクストが仕上がるまでにはほとんど無数のファクターがあります。媒体からの主題や文体や紙数の指定、同時代的な出来事、他のテクストへの気づかいと競合心……それぞれのファクターはてんでに固有のふるまいをします。しかし、それらが絡まり合って、いつのまにか「テクスチュア」(texture) は織り上がります。これを前にして「作者は何を表現するためにこれを織り上げたのか」と限定的に問うことはそれほど意味のあることなのでしょうか。

「テクストとは『織り上げられたもの』という意味だ。これまで人々はこの織物を製造されたもの、その背後に何か隠された意味（真理）を潜ませている作られた遮断幕のようなものだと思い込んできた。今後、私たちはこの織物は生成的なものであるという考え方を強調しようと思う。すなわちテクストは終わることのない絡み合いを通じて、自らを生成し、自らを織り上げてゆくという考え方である。この織物――このテクスチュア――のうちに呑み込まれて、主体は解体する。おのれの巣を作る分泌物の中に溶解してしまう蜘蛛のように。」

（『テクストの快楽』）

この「蜘蛛の巣」（ウェブ）の比喩は、現にウェブ上をゆきかうさまざまな情報とその発信者の関係を期せずしてみごとに言い当てています。

私たちはインターネット・テクストを読むとき、それが「もともと誰が発信したものか」ということにほとんど興味を持ちません。誰が最初に発信したのであろうと、それはインターネット上でコピー&ペーストされ、リンクされているあいだに変容と増殖を遂げており、もはや「もともと誰が？」という問いはほとんど無意味になっています。問題は、それを私が読むか読まないか、読んだあと自分のサイトにペーストしたり、発信元のサイトにリンクを張ったりするか、という読み手の判断に委ねられています。これはバルトの言う「作者の死」とかなり近い考え方です。

「テクストはさまざまな文化的出自をもつ多様なエクリチュールによって構成されている。そのエクリチュールたちは対話をかわし、模倣し合い、いがみ合う。しかし、この多様性が収斂《しゅうれん》する場がある。その場とは、これまで信じられてきたように作者ではない。読者である。(略) テクストの統一性はその起源にではなく、その宛先のうちにある。(略) 読者の誕生は作者の死によって贖《あがな》われなければならない。」(バルト「作者の死」)

この一節はほとんどそのままインターネット・テクストに当てはめることができます。古典的な意味でのコピーライトは、インターネット・テクストについてはほとんど無意味になりつつあります。音楽や図像についてコピーライトの死守を主張している人たちがいますが、その人たちもむしろ自分の作品が繰り返しコピーされ、享受されることを「誇り」に思うべきであり、それ以上の金銭的なリターンを望むべきではない、という新しい発想に私たちはしだいになじみつつあります。

その先鞭をつけたのは、リナックスOSです。

リナックスは、一九九一年にフィンランドの一人の天才ハッカーが提唱したOSのアイディアです。彼はそれをインターネットで公開し、このOSの開発を全世界に呼びかけました。この「誰でも参加できるOS開発」というプロジェクトにヴォランティアで参加したコンピュータ・フリークが全世界に無慮十万人。その人たちが朝な夕なに知恵を絞り、インターネット上で意見を交換し合い、アイディアを共有し、またたくうちにリナックスは異常な「進化」を遂げてしまい、いまなお日進月歩ならぬ「秒進分歩」の変容を遂げつつあります。

リナックスOSの特徴は、どういう仕掛けかがまるごと公開されていること、改造が自由ということと、全世界のヴォランティアによる現在進行的共同開発なので問題点の修正が迅速に行われるという点にあります。

しかし重要なのは、このOSを発明したリナスさんは、これで天文学的な利益を手に入れることができたのに、それをせずにインターネットに載せて、無料で公開してしまった、ということです。すぐれたOSが無数の人々の協力によって進歩することのほうが自分一人が大富豪になることよりずっと大事なことだ、とリナスさんは考えたのです。そして、彼の名を冠したOSが世界標準となり、全世界のハッカーたちが彼の名を敬意を込めて発音する快楽のほうを選んだのです。

彼が求めたものは近代的なコピーライトによって「作者」が得るものとは別の方向をめざしています。近代的な作者は自分の作品を一元的に管理することを求めましたが、リナックスに代表される「オープンソース」の思想がめざすのはその逆です。(「オープンソース」というのは、世界の成り立ちについて私たちに何ごとかを教える可能性のある情報は、無条件かつ全面的にアクセス可能でなければならない、という考え方のことです。)

リナスさんは自分の作品を世界に開放しました。それを改良させ、発展させ、利用する人々が一人一人その作品の意味と価値を見出すことに委ねたのです。もしこれが文学作品であったとしたら、彼はそれを無償で配布し、それをどう享受しようと、どう改作しようと、どう引用しようと、その自由を読者に委ねたということになります。

作家やアーティストたちが、コピーライトを行使して得られる金銭的リターンよりも、自分のアイディアや創意工夫や知見が全世界の人々に共有され享受されているという事実のうちに深い満足を見出すようになる、という作品のあり方のほうに私自身は惹かれるものを感じます。それがテクストの生成の運動のうちに、名声でも利益でも権力でもなく、「快楽」を求めたバルトの姿勢を受け継ぐ考え方のように思われるからです。

3　純粋なことばという不可能な夢

構造主義のさまざまな理説のうちで、日本人の精神にもっとも深く根づき、よく「こなれた」のは他ならぬバルトの知見である、と私は思っています。

そこには理由があります。それはロラン・バルトが、日本文化を記号運用の「理想」と見なすという、とんでもない「偏見」の持ち主だったからです。

バルトにはある種の「こだわり」がありました。それは「空」や「間」への偏愛です。これらの概念はたしかに非ヨーロッパ的なものです。というのは、「空」は充塡《じゅうてん》されねばならぬ不在であり、「間」は架橋されねばならぬ欠如であるとヨーロッパ的精神は考えるからです。しかし、宇宙をびっしり「意味」で充満させること、あらゆる事象に「根拠」や「理由」や「歴史」をあてがうこと、それはそれほどたいせつなことなのだろうか、むしろそれはヨーロッパ的精神の「症候」ではないのか、バルトはそう疑ったのです。空は「空として」機能しており、無意味には「意味を持たない」という責務があり、何かと何かのあいだには「超えられない距離」が保持されるべきだ……そういうふうな考え方は不可能なのだろうか、バルトはそう問いかけます。そして、その答えを日本文化の中に見つけた、と信じたのです。

バルトの文名を高めたのは『エクリチュールの零度』（一九五三）という書物ですが、その中でバルトが探求したのは、「語法の刻印を押された秩序へのいかなる隷従からも解放された白いエクリチュール」、何も主張せず、何も否定しない、ただそこに屹立する純粋なことばという不可能な夢でした。

「エクリチュールの零度（le degré zéro de l'écriture）とは直説法的エクリチュール、こう言ってよければモードを持たないエクリチュールのことである。ジャーナリストのエクリチュールと言ってもいいかも知れない。ただし、それはジャーナリズムが希求法や命令法（つまりはパセティックな語法）をもっては語らないという条件を満たした場合に限る。この新しいエクリチュールは絶叫と判決文の中間に位置し、どちらにも関与しない。まさにそういうものを欠いたエクリチュールなのだ。ただし、その欠如は完全である。そこには底意も秘密も何もない。非情なエクリチュールと言ってもいいかも知れない。だがむしろこれを無垢なエクリチュールと私は呼びたい。」（『エクリチュールの零度』）

エクリチュールの零度、無垢なるエクリチュールとは、願望も禁止も命令も判断も、およそ語り手の主観の介入を完全に欠いた、「まっしろな」エクリチュールのことです。これこそバルトがその生涯を賭けて追い求めた言語の夢でした。

しかし「白いエクリチュール」ほど人を裏切るものはありません。バルトが理想とした「ジャーナリストのエクリチュール」、「ルポルタージュの語法」や「ドキュメンタリーの視線」がどれほど語り手の主観や欲望に汚されているか、私たちはすでに熟知しています。TVニュースの映像は「事実をありのままに映し出している」と信じるほどナイーヴな視聴者はもういません。同じ映像資料を使っていても、編集を変え、ナレーションを変え、音楽を変えれば、まったく違うメッセージを送ることができることを私たちはもう知っているからです。

バルトはアルベール・カミュの『異邦人』のエクリチュールを「理想的な文体」と絶賛しました。たしかに、この小説において、作者は主人公の行動や発言を高みから「説明」したり、「内面」に潜り込んだりすることをきびしく自制しています。その結果、そこには事実だけを淡々とかつ的確に記述する、乾いた、響きのよい文体が奇跡的に成立しました。『異邦人』のエクリチュールはたしかに「白いエクリチュール」のみごとな例でしょう。しかし、ひとたび人々がカミュのエクリチュールを「美文の模範」として押し戴いてしまうと、それもまた制度的語法となる他ありません。「カミュを真似て書く」作家たちが陸続と現れてしまえば、それはもう「白いエクリチュール」であり続けることはできないのです。

あらゆるエクリチュールはそれを選択した瞬間だけ「自由の幻影」をかいま見せ、次の瞬間にはもう硬直化し、その使用者に隷従を強いる装置に化してしまいます。ジャーナリズムもだめ、『異邦人』もだめ、シュールレアリスムもだめ、ヌーヴォーロマンもだめ……あらゆるエクリチュールの冒険に幻滅した果てに、バルトが出会ったのは何と「俳句」だったのです。芭蕉の一句を論じた一節にバルトはこう書きます。

「『すでに四時／私は九回起きた／月を愛でるために』（「こゝのたび起きても月の七つかな」）注解者はこの句をこう解する。『月がたいへん美しいので、詩人は何度も起き出しては窓越しに月を眺めた』。暗号を解読し、型番を付け、同語を反復する。ヨーロッパにおける解釈の方法とはしょせんこの手のものである。それは意味を『貫き』、強引に意味を挿入するだけなのだ。（略）だからヨーロッパ的解釈は決して俳句そのものには手が届かない。というのも、俳句を読むという営みは、言語を欲情させることではなく、言語を中断することだからである。」（『表徴の帝国』）

バルトは性的な比喩を用いて、ヨーロッパ的解釈の暴力性を際立たせようとしています。ヨーロッパの言語は対象を「欲情する」言語です。対象を裸にして、すべてを露出させ、意味で充満させることをそれはめざします。しかし、語義を十全に解き明かすというヨーロッパ的な解釈にこだわる限り、俳句の風雅に触れることはできないでしょう。むしろ俳句は解釈を自制するものの前にのみその真の美的価値を開示する、とバルトは考えます。

俳句の解釈は、禅僧が師から与えられる「公案」を解釈する作業に似ています。この課題の目的は公案に一義的な解釈をもたらすことではありません。ただひたすらそれを玩味し、「ついにそこから意味が剝落するまで、それを〈嚙み〉続ける」ことが求められます。この「意味を与えて、解釈に決着をつける」ことへのきびしい抑制をバルトは「言語を中断させること」と表現しているのです。

「俳句においては、ことばを惜しむということが優先的に配慮される。これは私たちヨーロッパ人には考えも及ばぬことだ。それは単に簡潔に語るということではない。そうではなくて、逆に、意味の根源そのものに触れるということなのだ。俳句は短い形式に凝縮された豊かな思想ではない。おのれにふさわしい形式を一気に見出した短い出来事なのである。」(『表徴の帝国』)

俳句に贈られた、いささか法外なこの賛嘆の言葉と、ヨーロッパ的な「意味の帝国主義」に対してバルトが示した激しい嫌悪の当否について、ここでは論じるだけの紙数がありません。しかし、私たちの文化が「みごとに説明しきること」や「何ごとについても理非曲直を明らかにすること」より、「無根拠に耐えうること」や「どこにも着地できないで宙吊りになったままでいられること」を人間の成熟の指標と見なすという「民族誌的奇習」を保存していることは、バルトの言うとおり、たしかなことであるように思われます。それが果たしてバルトが夢見たような「無垢のエクリチュール」へ続く王道であるのかどうか、私にはよく分かりません。しかし、それについて考察し続けることは、私たち日本人読者に許された「特権的な義務」であると私は思います。

第五章　「四銃士」活躍す　その三
――レヴィ＝ストロースと終わりなき贈与

1　実存主義に下した死亡宣告

フーコー、バルトに続いてご登場願うのは、クロード・レヴィ＝ストロースです。

レヴィ＝ストロースはソシュール直系のプラハ学派のローマン・ヤコブソンとの出会いを通じて、その学術的方法を錬成した文化人類学者です。

ヤコブソンからヒントを得て、レヴィ＝ストロースは親族構造を音韻論の理論モデルで解析するという大胆な方法を着想しました。このアイディアを膨らませた『親族の基本構造』（一九四九）や『悲しき熱帯』（一九五五）といった人類学のフィールドワークを通じてアカデミックなキャリアを積み上げたレヴィ＝ストロースは、『野生の思考』（一九六二）でジャン＝ポール・サルトルの『弁証法的理性批判』を痛烈に批判し、それによって戦後十五年間、フランスの思想界に君臨していた実存主義に実質的な死亡宣告を下すことになりました。

言語学を理論モデルとし、「未開社会」のフィールドワークを資料とする文化人類学というまったく非情緒的な学術が、マルクス主義とハイデガー存在論で「完全武装」したサルトルの実存主義を粉砕してしまったことに、同時代の人々は驚愕しました。しかし、このときをさかいにして、フランス知識人は「意識」や「主体」について語るのを止め、「規則」と「構造」について語るようになります。「構造主義の時代」が名実ともに始まったのです。

すでに見てきたように、構造主義は党派性やイデオロギー性とはあまり縁のない、どちらかといえば象牙の塔的な学術なので、ほかの思想的立場と確執するということはありそうもないのですが、フランスにおいては、知的威信をかけたはなばなしい闘争に登場しました。構造主義の思想史的位置を知るために、ここで少しだけ時間を割いて実存主義との確執について解説をしておきたいと思います。

サルトルの実存主義は、ハイデガー、ヤスパース、キルケゴールらの「実存」の哲学にマルクス主義の歴史理論を接合したものです。

「実存する」(ex-sistere)という動詞は語義的には「外に―立つ」を意味します。自己の存立根拠の足場を「自己の内部」にではなく、「自己の外部」に「立つ」ものに置くのが実存主義の基本的な構えです。その点だけから言えば、「人間は生産＝労働を通じて作り出した物を媒介にして自分が何ものであるかを知る」というヘーゲル＝マルクス主義と基本的なフレームワークには通じるところがあります。「実存」という術語はとりあえずは「自分が『ほんとうは何ものであるか』を知る手がかりとなった、自分の『現実的なあり方』」と理解しておいていただければよいかと思います。

「実存は本質に先行する」というのはサルトルの有名なことばですが、特定の状況下でどういう決断をしたかによって、その人間が本質的に「何ものであるか」は決定されるということです。（「根はいい人なのだが、現実的には悪いことばかりしている人間」は、実存主義的には「悪もの」と評価されるわけです。当然ですけど。）このあたりの基礎的了解については、構造主義者も別に異論はないはずです。両者が対立するのは論件が「主体」と「歴史」にかかわるときです。

私たちはみな固有の歴史的状況に「投げ込まれて」います。例えば私は日本人ですので、そのことだけを理由に旧植民地の人から「戦争責任」を追及されることがあります。私自身が戦争に行ったわけではないのですが、私の生まれたこの国が半世紀前に犯した行為に、私は私の意思とかかわりなく「結びつけられて」おり、それについて謝罪するのか居直るのか無視するのか、はっきりしろとあちこちで迫られます。「私は知らない、私は関係ない、私は中立がいい」と泣きごとを言って責任を逃れることは私には許されていません。

これが「参加（アンガージュマン）」（engagement 原義は「拘束されること」）という事態です。私の置かれている歴史的状況は、非中立的で、「待ったなし」で私に決断を求めてきます。いったい何が起こりつつあるのか、自分はどう決断するのがいちばん「正しい」のか、それについて百パーセント客観的で正確な情報が私に提供されるということはありませんから、こちらとしては、断片的なデータと、直観を頼りに決断を下すしかありません。「正解」を知らぬままに決断を下すのですから、判断を誤ることもあるかも知れませんが、「よく分からないままに決断したのだから」という理由で責任を回避することは許されません。このいささかパセティックな決断が「参加する」（s'engager 原義は「自分を拘束する」）と呼ばれます。

サルトルの「参加する主体」は、与えられた状況に果敢に身を投じ、主観的な判断に基づいておのれが下した決断の責任を粛然と引き受け、その引き受けを通じて、「そのような決断をなしつつあるもの」としての自己の本質を構築してゆくもののことです。これはたいへん凛々《りり》しい生き方だと言えます。（個人的には私もこういうのは大好きです。）

しかし、このあとの議論で実存主義と構造主義は不和を生じます。

2　サルトル＝カミュ論争の意味

ほんらい「参加する主体」は決断に先立って、どう決断すべきかの「正解」を知らないはずです。（ですから、善意のつもりで人を困らせたり、利己心に基づいて行動したらみんなが泣いて喜んだ、というような「不条理」が起こることにもなるのです。）しかし、「評価を後世に待つ」と言うとおり、ある決断が正しかったかどうかは事後的に判定されます。つまり「歴史」が決断の正否の裁決をすることになります。

たしかに私たちは全員が歴史的状況に「投げ込まれている」のではありますが、もしその歴史の「流れ」に法則性があり、それを正しく読み当てることができたなら、「参加する主体」はつねに「正しい決断」を下すことができることになります。さて、マルクス主義者によれば、「歴史の法廷」は「歴史を貫く鉄の法則性」が領しています。ですから、この「鉄の法則性」を知ったものは、状況的決断において過《あやま》つことがない、ということになります。サルトルはそう考えたのです。（サルトルは「誤る」ことが大嫌いな人だったのです。ときどき政治的判断を間違えるくらい、人間なんだから仕方がないと思うんですけどね。）

例えば、一九五二年のサルトル＝カミュ論争において、サルトルは歴史の名においてカミュを告発しました。

レジスタンスの伝説的闘士として戦後フランスの知的世界に君臨した一九四五年において、カミュの主張は歴史的に「正解」でした。しかし歴史的条件が激変した七年後には別の答えが「正解」になります。

歴史的状況の変動を見定めて、そのつどもっとも適切な階級的任務を果たすことが知識人の使命であるにもかかわらず、カミュは自己変革の努力を怠り、知識人としての歴史的責務を果たし得なかった。レジスタンスを領導したときのカミュは歴史的に正しかったが、同じ立場にとどまって第三世界の民族解放闘争への全面的コミットをためらうカミュは歴史的に間違っている。サルトルはそう書きました。

「君が君自身であり続けたいのなら、君は変化しなければならない。しかし君は変化することを恐れた。」サルトルはこう言って、かつての盟友カミュに思想家としての死を宣告したのでした。

実存主義はこうして一度は排除した「神の視点」を、「歴史」と名を変えて、裏口から導き入れたような格好になりました。レヴィ＝ストロースが咎《とが》めたのは、この点です。

主体は与えられた状況の中での決断を通じて自己形成を果たすという前段について実存主義と構造主義は別にどこが違うわけでもありません。しかし、状況の中で主体はつねに「政治的に正しい」選択を行うべきであり、その「政治的正しさ」はマルクス主義的な歴史認識が保証する、という後段に至って、構造主義は実存主義と袂《たもと》を分かつことになったのです。

3　かくてサルトルは粉砕された

レヴィ＝ストロースの『野生の思考』はいわゆる「未開人」が世界をどのように経験し、どのように秩序づけ、記述しているかについての考察です。浩瀚《こうかん》なフィールドワークに裏づけられたレヴィ＝ストロースの結論は、「未開人の思考」と「文明人の思考」の違いは発展段階の差ではなく、そもそも「別の思考」なのであり、比較して優劣を論じること自体無意味である、ということでした。

『野生の思考』の冒頭に、ある人類学のフィールドワーカーが現地で雑草を摘んで「これは何という草ですか？」と現地の人に訊ねたら大笑いされた、というエピソードが引かれています。何の役にも立たない雑草に名があるはずもないのに、それを訊ねる学者の愚行が笑われたのです。

ソシュールの用語で言えば、この雑草はこの部族では「記号」としては認知されていなかったのです。それは彼らに植物学的な知識がなかったという意味ではありません。それぞれの社会集団はそれぞれの実利的関心に基づいて世界を切り取ります。漁労を主とする部族では水生動物についての語彙が豊かであり、狩猟民族では野獣の生態にかかわる語彙が豊かです。

「用語の抽象性の差異は知的能力によるのではなく、個々の社会が世界に対して抱く関心の深さや細かさはそれぞれ違うということによるのである。」（『野生の思考』）

ある領域について概念や語彙が豊富であるということは、その集団がその領域に対して深く強い関心を持っている、ということです。「文明人」と「未開人」はその関心の持ち方が違うのであって、「文明人」が見るように世界を見ないというのは、別に「未開人」が知的に劣等であるということを意味しません。「どちらにおいても世界は思考の対象、少なくともさまざまな欲求を満たす手段」に他ならないのですから。

レヴィ＝ストロースはこの前提から出発します。そして、「あらゆる文明はおのれの思考の客観性指向を過大評価する傾向にある」ことを厳にいさめます。つまり、私たちは全員が、自分の見ている世界だけが「客観的にリアルな世界」であって、他人の見ている世界は「主観的に歪められた世界」であると思って、他人を見下しているのです。自分が「文明人」であり、世界の成り立ちについて「客観的」な視点にいると思い込む人間ほど、この誤りをおかしがちです。そして、レヴィ＝ストロースはまさにその点についてサルトルの「歴史」概念に異議を申し立てることになります。

レヴィ＝ストロースは「歴史を持たない」数多くの民族集団を見てきました。新石器時代とほとんど変わらない生活をしている部族がまだ地上には多く残っています。彼らの社会には「歴史的状況」などというものはありませんし、「参加」も「決断」もありません。数千年前から繰り返してきたことをこの先も永遠に反復するだけです。しかし、だからといって、彼らには人間としての尊厳や理性が欠如していると言えるでしょうか。レヴィ＝ストロースは「文明人」にそのような傲慢を許しません。彼らもまた自分たちの生の営みのうちに「人間の生の持ちうる意味と尊厳のすべて」が込められていると確信して、そのような生活を営んでいるのです。

「彼らのうちであれ、私たちのうちであれ、人間性のすべては、人間の取りうるさまざまな歴史的あるいは地理的な存在様態のうちのただ一つのもののうちに集約されていると信じ込むためには、かなりの自己中心性と愚鈍さが必要だろう。私は曇りない目でものを見ているという手前勝手な前提から出発するものは、もはやそこから踏み出すことができない。」（『野生の思考』）

サルトルはまさに「その『我思う』の虜囚」としてレヴィ＝ストロースに筆誅《ひっちゅう》を加えられることになります。

サルトルは「歴史」を窮極の審級とみなします。それは未開から文明へ、停滞から革命へと進む、単線的な歴史プロセスの上ですべての人間的営みの「正否」を判定するということです。しかし、レヴィ＝ストロースによれば、サルトルが「歴史」という「物差し」をあてがって「歴史的に正しい決断をする人間」と「歴史的に誤りを犯す人間」を峻別しているのは、「メラネシアの野蛮人」が、彼ら独自の「物差し」を使って、「自分たち」と「よそもの」を区別しているのと本質的にはまったく同じふるまいなのです。

「サルトルが世界と人間に向けているまなざしは、『閉じられた社会』とこれまで呼ばれてきたものに固有の狭隘さを示している。」

そして、レヴィ＝ストロースはこう断定します。

「サルトルの哲学のうちには野生の思考のこれらのあらゆる特徴が見出される。それゆえにサルトルには野生の思考を査定する資格はないと私たちには思われるのである。逆に、民族学者にとって、サルトルの哲学は第一級の民族誌的資料である。私たちの時代の神話がどのようなものかを知りたければ、これを研究することが不可欠であるだろう。」

この批判は戦後のあらゆる論争を勝ち続けてきた「常勝」のサルトルを一刀両断にしました。傷ついたサルトルは、構造主義は「ブルジョワジーがマルクスに対抗して築いた最後のイデオロギー的障壁」であるという定型的な反論を試みました。サルトル主義者たちは領袖《りょうしゅう》に唱和して、構造主義はブルジョワ・テクノクラートの秘儀的学知であり、「腐敗した西欧社会」の象徴であり、構造主義を叩き潰す「自由な精神」は、「ヴェトナムの稲田、南アフリカの原野、アンデスの高原」から「暴力の血路」を切り開いて西欧に攻め寄せるだろうと予言したのです。「歴史の名においてすべてを裁断する権力的・自己中心的な知」として実存主義は批判されたわけですが、それに対して、サルトルは「歴史の名において」死刑宣告を下すという無策をもって応じました。こうして実存主義の時代はいかにも唐突に終わったのでした。

4 音韻論とはどういうものか

だいぶ長い迂回《うかい》でしたが、実存主義との「王座交代劇」の消息をお伝えしたことで、レヴィ＝ストロースの思考の根幹をなす倫理的な姿勢はお分かりいただけたと思います。（それは西欧的知性の「思い上がり」に対する厳しい自制というかたちをとります。）

その上で、あらためてレヴィ＝ストロースの学問的方法をつぶさに検分してゆきたいと思います。

私たちはまず「音韻論とはどういう学知か」という問いから始めなければなりません。これが分からないと、レヴィ＝ストロースの構造人類学の驚嘆すべきアイディアに触れることができません。ですから、しばらくのあいだ、いささか専門的な議論にお付き合い願います。

音韻論（phonology）は、「音素論」（phonemics）とも呼ばれます。それは言語として発された音声は、あるラングの中で、どのようにして他の言語音と識別されるのか、その言語音の差別化のメカニズムを研究する学問です。

例えば、日本語では、〔r〕と〔l〕の音は区別しないで使われます。どちらの子音を使って発音しても「ラーメン」を頼めば同じものが出てきます。しかし、逆に英語ではこの二つは示差的に使われますから、「ライス」を頼むと「シラミ」を食べさせられる可能性は払拭《ふっしょく》しきれません。

日本人だって、〔r〕と〔l〕が物理音としては別の音であることは、何度も聴かされれば分かります。しかし、日本語ではこれを「区別しない」という「約束」があるせいで、その違いを聴き取り、記憶し、再生することに日本語話者は少なからぬ困難を覚えるのです。

このように、言語音の持つ物理学的・生理学的な性質のうち、どの示差的特徴が有意であり、どの特徴が無視されるかは、それぞれの言語集団内での「取り決め」に基づいています。

フランス語には口腔母音が十二、鼻母音が四あります。ところが、この母音のうちいくつかは最近の若いフランス人はもう聴き分けも再生もできなくなり、すでにいくつかの母音は「消滅」してしまいました。母音の聴き分けが「めんどくさい」と言い出す人たちがふえれば、「取り決め」はあっさり改訂されてしまうのです。

日本語の「鼻濁音」もそうですね。『夜霧よ今夜もありがとう』で石原裕次郎はきれいな鼻濁音で「ぎ」の音を発声していますが、カラオケで歌っている若い人たちのほとんどはこの音を出すことができません。同じ言語集団でも時代によって、聴き取り、発声できる音には変化があるわけです。

このように音の連続体から恣意的に切り取られて、集合的な同意に基づいて「同音」とみなされている言語音の単位を「音素」(phonème)と呼びます。言語音は発声器官によって発振する空気振動という「アナログ」なマテリアルですから、このかたまりに「分節線」を入れるやり方は理論上無限にあります。事実、生後間もない子どもは成人には発し得ないような非分節的な音声をいくらでも発声できます。しかし、世界中の言語の比較と、子どもの言語習得プロセスの研究から言語学者は意外な事実を学び知りました。それは、人間が言語音として使用している音素のカタログは想像しているよりはるかにこぢんまりしたものだ、ということです。ある言語音について、それが「母音か子音か」、「鼻音か非鼻音か」、「集約か拡散か」、「急激か連続か」……など十二種類の音響的、発声的な問いを重ねると、世界中のすべての言語に含まれる音素はカタログ化できるのです。

「二項対立」の組み合わせをいくつか重ねてゆくと膨大な量の情報を表現できるというのは（コンピュータ世代にとってはなじみ深い）二進法の考え方です。情報量の最小単位である一ビットは「0／1」という一組の二項対立によって、二つの状態を示されます。「ビット」という概念を理解するには、オン／オフのスイッチのついた豆電球を思い浮かべるのが簡単です。豆電球が一つあると、「点灯している／消えている」という二つの異なった状態、つまり一ビットの情報、「0／1」を表すことができます。

豆電球がAB二つとあると、「ABとも点灯している／Aだけ点灯している／Bだけ点灯している／どちらも消えている」の四つの状態を表すことができます。二組の二項対立によって「00／01／10／11」の四つの状態を示すことができます。これが二ビットの情報。同じようにして、三ビットは八とおり、四ビットは十六とおり、そしてコンピュータ容量の最小単位である一バイトは八ビット、すなわち二百五十六とおりの異なった状態を表すことができます。

言い換えると、世界中のどんな音素体系でも十二の二項対立で表現できるということは、十二ビット、つまり十二回の0／1選択で、この世に存在するすべての音素が特定できるということを意味しています。

さて、レヴィ＝ストロースの大胆なところは、二項対立の組み合わせを重ねてゆくことによって無数の「異なった状態」を表現することができるというこの音韻論（とコンピュータの両方に通じる）発想法を人間社会のすべての制度に当てはめてみることはできないのか、と考えたところにあります。レヴィ＝ストロースが集中的な検討を加え、みごとな成功を収めたのは、親族制度の分析です。それを見てみましょう。

5　すべての親族関係は二ビットで表せる

レヴィ＝ストロースはさまざまな社会集団における家族のあいだの「親密さ／疎遠さ」の関

係を調べた結果、不思議な法則を発見しました。それはあらゆる家族集団は、次の二つの関係において、必ずどちらかの選択肢を選ぶ、という事実です。

父―子／伯叔父―甥《おい》の場合

（０）父と息子は親密だが、甥と母方のおじさんは疎遠である。

（１）甥と母方のおじさんは親密だが、父と息子は疎遠である。

夫―婦／兄弟―姉妹の場合

（０）夫と妻は親密だが、妻とその兄弟は疎遠である。

（１）妻はその兄弟と親密だが、夫婦は疎遠である。

例えば、メラネシアでは父子のあいだは遠慮のない関係ですが、甥と母方の伯叔父ははげしく対立しています。コーカサスのチェルケス族では、父と子のあいだには対立があり、母方の伯叔父は甥の結婚に馬を贈る習慣があります。ニューギニアのトロブリアンド島では、夫婦は親密で開放的ですが、兄弟姉妹の関係はきわめて厳格なタブーで律されています。チェルケス族では、兄弟姉妹は添い寝するほど親密ですが、夫婦はともに人前に出ることがありません。

二つの関係について、それぞれ二つの選択があるのですから、これは先ほどの式でいうと「二ビット」つまり四とおりの状態を表しています（００／０１／１０／１１）。

この構造は四つの項（兄弟、姉妹、父親、息子）から成っています。レヴィ＝ストロースはこれを「親族の基本構造」と名づけました。親族の基本構造は二つの二項対立から成ります。つまり、どの世代をとっても、そこにはプラスの関係とマイナスの関係が対になって存在しているということです。

いったいなぜ、世界中のすべての社会集団にこの構造があるのでしょうか。レヴィ＝ストロースはこう答えます。

「この構造は考えうる限り、存在しうる限り最も単純な親族構造である。まさしくこれが親族の基本単位なのである。親族構造が存在するためには、人間社会につねに存在する三種類の家族関係――共通の父を持つ関係、婚姻関係、生んだものと生まれたものの関係――言い換えれば、兄弟姉妹、夫婦、親子――がそこに含まれていなければならない。」（『構造人類学』）

世界中のすべての言語音が十二ビットで表現できるように、世界中どこでも親族の基本構造は二ビットで表現できる、これがレヴィ＝ストロースの仮説です。

この大胆な仮説によってレヴィ＝ストロースが私たちに教えてくれることは二つあります。一つは、人間は二項対立の組み合わせだけで複雑な情報を表現するということ。もう一つは、私たちが自然で内発的だと信じている感情（親子、夫婦、兄弟姉妹のあいだの親しみの感情）が実は、社会システム上の「役割演技」に他ならず、社会システムが違うところでは、親族間に育つべき標準的な感情が違う、ということです。夫婦は決して人前で親しさを示さないことや、父子は口をきかないのが「正しい」親族関係の表現であるとされている社会集団が現に存在するのです。（そういえば、『男はつらいよ』の寅さん〈渥美清〉には満男〈吉岡秀隆〉という甥がいますが、この甥は父の博〈前田吟〉と対立が深まると、「母方の伯父」である寅さんと親しい関係になります。）

私たちは常識的には、人間が社会構造を作り上げてきたと考えてきました。親子兄弟夫婦のあいだには「自然な感情」がまずあって、それに基づいて私たちは親族制度を作り上げてきたのだ、と。レヴィ＝ストロースはそのような人間中心の発想をきっぱりとしりぞけます。

人間が社会構造を作り出すのではなく、社会構造が人間を作り出すのです。（「満男」の「寅さん」に対する感情は、彼らの心情ではなく、親族構造の「効果」に他なりません。「寅さん」がさっぱり結婚できないのも、兄妹関係が親密すぎるために、夫婦関係がその分だけ疎遠になっているせいであって、寅さんに性的魅力がないからではありません。）

ご覧のとおり、私たちは何らかの人間的感情や、合理的判断に基づいて社会構造を作り出しているのではありません。社会構造は、私たちの人間的感情や人間的論理に先だって、すでにそこにあり、むしろそれが私たちの感情のかたちや論理の文法を事後的に構成しているのです。ですから、私たちが生得的な「自然さ」や「合理性」に基づいて、社会構造の起源や意味を探っても、決してそこにたどりつくことはできないのです。

「さまざまな信憑や習慣の起源について、私たちは何も知らないし、この先も知ることができないだろう。なぜなら、その根は遠い過去の中に消えているからだ。（略）習慣は内発的な感情が生まれるより先に、外在的規範として与えられている。そして、この不可知の規範が個人の感情と、その感情がどういう局面で表出され得るかあるいは表出されるべきかを決定しているのである。」（『今日のトーテミスム』）

しかし、社会制度の起源は全部が全部、闇の中に消えているわけではありません。ある社会集団がいまあるような親族システムを「なぜ」選択したのか、その個別的な理由は分かりませんが、親族システム「というもの」が存在する理由は分かっています。

「親族の基本単位は始源的でありかつこれ以上分割しえない。それはこの基本単位こそ、世界中すべての場所に観察される、近親相姦《そうかん》の禁止の直接的な結果だからである。」（『構造人類学』）

親族構造は端的に「近親相姦を禁止するため」に存在するのです。

6　人間の本性は「贈与」にある

では、なぜ人間たちは近親相姦を禁止するのか。

みずから立てたこの問いにレヴィ＝ストロースは驚くべき解答を提出します。

近親相姦が禁止されるのは、「女のコミュニケーション」を推進するためである。それがレヴィ＝ストロースの答えです。

「近親相姦の禁止とは、言い換えれば、人間社会において、男は、別の男から、その娘またはその姉妹を譲り受けるという形式でしか、女を手に入れることができない、ということである。」（『構造人類学』）

「男は、別の男から、その娘またはその姉妹を譲り受けるという形式でしか、女を手に入れることができない。」これがレヴィ＝ストロースの大発見です。

「そんなの当たり前じゃないか」と思う方がいるかも知れませんが、これがなかなか入り組んだ仕掛けなのです。

さきに見たとおり、親族関係は親族の親密な感情に基づいて自然発生的に出来上がったものではありません。それにはただ一つしか存在理由がありません。それは「存在し続ける」ことです。親族が存在するのは親族が存在し続けるためなのです。

「血統を存続させたいという欲望のことを言っているのではない。そうではなく、ほとんどの親族システムにおいて、ある世代において女を譲渡した男と女を受け取った男のあいだに生じた最初の不均衡は、続く世代において果たされる『反対給付』によってしか均衡を回復されないという事実を言っているのである。」（『構造人類学』）

キーワードは「反対給付」です。これは要するに、何か「贈り物」を受け取った者は、心理的な負債感を持ち、「お返し」をしないと気が済まない、という人間に固有の「気分」に動機づけられた行為を指しています。この「反対給付」の制度は（夫婦愛や父性愛を知らない集団があるというのに）、知られる限りのすべての人間集団に観察されます。「贈与」は人類学の重要な主題の一つです。よく知られた事例に北米大陸の先住民に行われた「ポトラッチ」があります。この贈与祭儀において、ホストは招待客を心理的に圧倒するために、おのれの財貨を破壊的に蕩尽《とうじん》します。それに対して招待客もまたそれにおとらぬ蕩尽によって、その礼に報います。その贈与の応酬は、飲食物や贈り物をふんだんに供与するといった程度を超えて、やがて生活必需品であるボートを壊し、家に火をつけ、果ては奴隷を殺害するにまで至ります。無益な蕩尽を通り超して、贈り手自身にとって有害であるような行為までが「贈与」の名のもとになされるのです。この事例は、「贈与される」ことによって、私たちのうちに生じる「反対給付」の義務感がどれほど抵抗しがたいものであるかを教えてくれます。

贈与された者は返礼することによっていったんは不均衡を解消しますが、返礼を受けた者は再びそれを負い目に感じ、その負債感は、返礼に対してさらに返礼するまで癒《いや》されません。ですから、最初の贈与が行われたあとは、贈与と返礼の往還が論理的には無限に続くことになります。

どうして、このような贈与システムがあるのか、その起源を知ることは不可能ですが、それがどういう社会的「効果」を持つかはすぐに分かります。

効果の第一は、贈与と返礼の往還のせいで、社会は同一状態にとどまることができない、ということです。

「驕《おご》れるものは久しからず」という『平家物語』も、「人類の歴史は階級闘争の歴史である」というマルクスも、言っていることはある意味では同じです。それは社会関係（支配者と被支配者の関係、与えるものと受け取るものの関係、威圧するものと負い目を感じるものの関係）は振り子が振れるように、絶えず往還しており、人間の作り出すすべての社会システムはそれが「同一状態にとどまらないように構造化されている」ということです。

どうしてそうなるのか、理由は分かりません。

しかし、おそらく人間社会は同一状態にとどまっていると滅びてしまうのでしょう。ですから、存在し続けるためには、たえず「変化」することが必要なのです。さきほど親族の存在理由は「存在し続けること」だと書きました。だとすれば、それは同時に「変化し続けること」でもあります。

しかし、ここでいう「変化」というのは、必ずしも「進歩」とか「刷新」を意味しているわけではありません。もし、生き延びるためにはたえず「進化」していないといけないとしたら、その焦燥とストレスで人類は疲れ切ってしまったでしょう。（現代人はそのせいでけっこう「疲れ切って」いますけれど。）

レヴィ＝ストロースは、社会システムは「変化」を必須としているが、それは、別に「絶えず新しい状態を作り出す」ことだけを意味しているのではなく、単にいくつかの状態が「ぐるぐる循環する」だけでも十分に「変化」と言える、と考えました。

そしてレヴィ＝ストロースは、社会システムの変化を「絶えず新しい状態になる」という歴史的な相のもとに構想する社会（私たちの社会がそうです）を「熱い社会」、歴史的変化を排し、新石器時代のころと変わらない無時間的な構造を維持している社会、「野生の思考」が領する社会を「冷たい社会」と名づけたのです。そして、そのいずれもが、恒常的な「変化」を確保するような社会構造を持っているのです。

贈与と返礼は社会にどのような効果をもたらすか、という問いに答えている途中でした。効果の一つはいま見たとおり、社会を同一状態に保たないことです。

しかし、もう一つの内面的な効果のほうが、あるいはより本質的なことなのかも知れません。それは、「人間は自分が欲しいものは他人から与えられるという仕方でしか手に入れることができない」という真理を人間に繰り返し刷り込むことです。

何かを手に入れたいと思ったら、他人から贈られる他ない。そして、この贈与と返礼の運動を起動させようとしたら、まず自分がそれと同じものを他人に与えることから始めなければならない。それが贈与についての基本ルールです。

レヴィ＝ストロースによれば、人間は三つの水準でコミュニケーションを展開します。財貨サーヴィスの交換（経済活動）、メッセージの交換（言語活動）、そして女の交換（親族制度）です。どのコミュニケーションも、最初に誰かが贈与を行い、それによって「与えたもの」が何かを失い、「受け取ったもの」がそれについて反対給付の責務を負うという仕方で構造化されています。それは、絶えず不均衡を再生産するシステム、価値あるとされるものが、決して一つところにとどまらず、絶えず往還し、流通するシステムです。

しかし、この説明だけでは人間的コミュニケーションの定義としては足りません。というのは、婚姻規則に典型的に見られるように、反対給付は、二者のあいだでピンポンのように行き来するのではなく、絶えず「ずれてゆく」からです。ある男Aが別の男Bから「その娘」を妻として贈られた場合、その男Aは「自分の娘」を男Bに返礼として贈るのではありません。別の男Cに贈るのです。

「パートナーたちは、自分が贈った相手からは返礼を受け取らず、自分が贈られた相手には返礼をしない。あるパートナーに贈り、別のパートナーから受け取るのである。これは相互性のサイクルであるが、一つの方向に流れている。」（『構造人類学』）

レヴィ＝ストロースの構造人類学上の知見は、私たちを「人間とは何か」という根本的な問いへと差し向けます。レヴィ＝ストロースが私たちに示してくれるのは、人間の心の中にある「自然な感情」や「普遍的な価値観」ではありません。そうではなくて、社会集団ごとに「感情」や「価値観」は驚くほど多様であるが、それらが社会の中で機能している仕方はただ一つだ、ということです。人間が他者と共生してゆくためには、時代と場所を問わず、あらゆる集団に妥当するルールがあります。それは「人間社会は同じ状態にあり続けることができない」と「私たちが欲するものは、まず他者に与えなければならない」という二つのルールです。

これはよく考えると不思議なルールです。私たちは人間の本性は同一の状態にとどまることだと思っていますし、ものを手に入れるいちばん合理的な方法は自分で独占して、誰にも与えないことだと思っています。しかし、人間社会はそういう静止的、利己的な生き方を許容しません。仲間たちと共同的に生きてゆきたいと望むなら、このルールを守らなければなりません。それがこれまで存在してきたすべての社会集団に共通する暗黙のルールなのです。このルールを守らなかった集団はおそらく「歴史」が書かれるよりはるか以前に滅亡してしまったのでしょう。

それにしても、いったいどうやって私たちの祖先は、おそらくは無意識のうちに、この暗黙のルールに則って親族制度や言語や神話を構築してゆくことができたのでしょう。私にはうまく想像ができません。しかし、事実はそうなのです。ですから、もし「人間」の定義があるとしたら、それはこのルールを受け容れたものと言う他ないでしょう。

人間は生まれたときから「人間である」のではなく、ある社会的規範を受け容れることで「人間になる」というレヴィ＝ストロースの考え方は、たしかにフーコーに通じる「脱人間主義」の徴候を示しています。しかし、レヴィ＝ストロースの脱人間主義は決して構造主義についての通俗的な批判が言うような、人間の尊厳や人間性の美しさを否定した思想ではないと私は思います。「隣人愛」や「自己犠牲」といった行動が人間性の「余剰」ではなくて、人間性の「起源」であることを見抜いたレヴィ＝ストロースの洞見をどうして反—人間主義と呼ぶことができるでしょう。

第六章　「四銃士」活躍す　その四
——ラカンと分析的対話

1　幼児は鏡で「私」を手に入れる

フーコー、バルト、レヴィ＝ストロースのあと、最後に私たちは「構造主義の四銃士」のうち最大の難関であるジャック・ラカンについて語らなければなりません。構造主義そのものはここまでご紹介してきたように、決して難解な思想ではないのですが、(そのままフランス語の教科書に使いたいような明晰で端正なレヴィ＝ストロースの文章を例外として)、構造主義者の書く文章は読みやすいとは言えません。特にラカンは、正直に言って、何を言っているのかまったく理解できない箇所を大量に含んでいます。

しかし、おそらくはその難解さゆえに、ラカンについて書かれた解説書や研究書の多さは他の構造主義者とは比較になりません。バルトやレヴィ＝ストロースについて新しい解釈が出されることは最近ではもうほとんどありませんが、ラカンについてはいまだにたいへんなハイペースで研究書が量産されています。それだけ「謎」が多いということでもありますし、それだけ多く刺激的なアイディアを含んでいるということでもあります。

そのような思想家の仕事を簡潔にまとめるというのは至難の業です。ですから、以下の解説はラカンのほんの入り口だけにしか触れていないということを、あらかじめご了解いただきたいと思います。

ラカンの専門領域は精神分析です。ラカンは「フロイトに還れ」という有名なことばを残していますが、そのことばどおり、フロイトが切り開いた道をまっすぐに、恐ろしく深く切り下ろしたのがラカンの仕事だと言ってよいと思います。その仕事のうち、「鏡像段階」の理論と「父―の―名」の理論の二つだけをここではご紹介することにしましょう。

「鏡像段階」理論とは、ラカンが一九三六年に発表したもので、主体の形成において鏡に映る映像がもつ決定的な重要性を解明したものです。

鏡像段階とは人間の幼児が、生後六ヶ月くらいになると、鏡に映った自分の像に興味を抱くようになり、やがて強烈な喜悦を経験する現象を指します。人間以外の動物は、最初は鏡を不思議がって、覗き込んだり、ぐるぐる周囲を回ったりしますが、そのうちに鏡像には実体がないことが分かると、鏡に対する関心はふいに終わってしまいます。ところが、人間の子どもの場合は、違います。子どもは鏡の中の自分と像の映り込んでいる自分の周囲のものとの関係を飽きずに「遊び」として体験します。この強い喜悦の感情は幼児がこのときに何かを発見したことを示しています。何を発見したのでしょう。

子どもは「私」を手に入れたのです。

鏡像段階は「ある種の自己同一化として、つまり、主体がある像を引き受けるとき主体の内部に生じる変容として、理解」されます。

「まだ動き回ることができず、栄養摂取も他人に依存している幼児的＝ことばを語らない段階にいる子どもは、おのれの鏡像を喜悦とともに引き受ける。それゆえ、この現象は、私たちの眼には、範例的なしかたで、象徴作用の原型を示しているもののように見えるのである。というのは、〈私〉はこのとき、その始原的な型の中にいわば身を投じるわけだが、それは他者との同一化の弁証法を通じて〈私〉が自己を対象化することにも、言語の習得によって〈私〉が普遍的なものを介して主体としての〈私〉の機能を回復することにも先行しているからである。」(「私の機能を形成するものとしての鏡像段階」)

この難文をとにかく意味の分かる日本語に書き直しましょう。

人間の幼児は、ほかの動物の子どもと比べると、きわだって未成熟な状態で生まれてきます。ですから生後六ヶ月では、まだ自力で動き回ることもできず、栄養補給も他者に依存せざるを得ないという無能力の状態にあります。幼児は自分の身体の中にさまざまな「運動のざわめき」を感知してはいるものの、それらはまだ統一に至ることなく、原始的な混沌のうちにあります。この統一性を欠いた身体感覚は、幼児に、おのれの根源的な無能感、自分をとりまく世界との「原初的不調和」の不快感を刻みつけます。そして、この無能感と不快感は幼児の心の奥底に「寸断された身体」という太古的な心象を残します。その心象は成熟を果したあとも、妄想や幻覚や悪夢を通じて、繰り返し再帰することになります。(「寸断された身体」の心像というのがどういうものか、私は見たことがないので分かりませんが、たいそうおぞましいものだそうです。)

さて、この「原初的不調和」に苦しむ幼児が、ある日、鏡を見ているうちに、そこに映り込んでいる像が「私」であることを直観するという転機が訪れます。そのとき、それまで、不統一でばらばらな単なる感覚のざわめきとしてしか存在しなかった子どもが、統一的な視覚像として、一挙に「私」を把持することになります。

「おお、これが〈私〉なのか」、と子どもは深い安堵と喜悦の感情を経験します。視覚的なイメージとしての「私」に子どもがはじめて遭遇する経験、それが鏡像段階です。（ところで、もし鏡を持たない社会集団があったら、そこにおいて鏡像段階はどうなるのでしょう？　どなたかご存知の方がいたら教えて下さい。）

もちろん人間が成熟するためには、この段階を通過することが不可欠なのですが、よいことばかりではありません。「一挙に〈私〉を視覚的に把持した」という気ぜわしい統一像の獲得は、同時に取り返しのつかない裂け目を「私」の内部に呼び込んでもしまうからです。

たしかに、幼児は鏡像という自分の外にある視覚像にわれとわが身を「投げ入れる」という仕方で「私」の統一像を手に入れるわけですが、鏡に映ったイメージは、何といっても、「私そのもの」ではありません。一メートル先の鏡の中から私を見返している「鏡像の私」は、一メートル先の床の上にあってこちらを向いている「ぬいぐるみ」と、「私そのものではない」という点では変わりがないからです。

> 「大事なのは、この型が、〈自我〉が社会的にどういう存在であるかが決定されるに先んじて、あらかじめ虚構の系列のうちに〈自我〉の審級を定めるということである。この〈自我〉は決して個人によっては引き受けることのできぬものであり、あるいはこういう言い方が許されるなら、主体の未来と漸近線《ぜんきんせん》的にしか合流しえぬものである。弁証法的な総合によ

って、主体がいずれ〈私〉として、おのれに固有の現実との不一致をうまい具合に解消することになったとしても。（略）たしかに〈私〉とその像のあいだにはいくつもの照応関係があるから、〈私〉は心的恒常性を維持してはいるが、それは人間が自分を見下ろす幽霊や〈からくり人形〉に自己投影しているからなのである。」

人間は「私ではないもの」を「私」と「見立てる」ことによって「私」を形成したという「つけ」を抱え込むところから人生を始めることになります。「私」の起源は「私ならざるもの」によって担保されており、「私」の原点は「私の内部」にはないのです。これは、考えれば、かなり危うい事態です。なにしろ、自分の外部にあるものを「自分自身」と思い込み、それに取り憑くことでかろうじて自己同一性を立ち上げたということですから。言い換えれば、「鏡像段階を通過する」という仕方で、人間は「私」の誕生と同時にある種の狂気を病むことになります。

2 記憶は「過去の真実」ではない

精神分析的に考えると、「私」という（「主体」の外部にある）ものを主体そのものと構造的に錯認して生き思考している以上、人間は、みな程度の差はあれ狂っていることになります。極論のように聞こえますが、これはなかなか思い切りのよい立場であって、そういうふうに考えてしまうと、それはそれでいろいろとすっきりすることもあります。

この前提に立つと、「自我を知覚―意識システムの中心に位置するものとして構想する」すべての哲学、つまり「おのれが正気であることを自明の前提とする」すべての知（サルトルの実存主義はまさにそのようなものとしてレヴィ＝ストロースによって退けられたわけですが）にはとりあえず疑問符が点じられます。みずからを透明で安定的な知として想定するものは、そのように自己措定《そてい》している「知そのもの」が、実は神経症的な病因から誕生した「症候形成」かも知れないという「私の前史」についての反省的視線を欠いているからです。

ですから、精神分析では、「自我」は治療の拠点にはなりません。（それは被分析者も、分析家もどちらについても同様です。）精神分析が足場として選ぶのは、「ことば」の水準です。「対話」の水準、あるいは「物語」の水準と言ってよいかも知れません。

精神分析の治療は、ご存じのとおり、被分析者が、分析家に対して、自分自身の心の中を語る、という仕方で進行します。

「精神分析はただ一つの媒介しか有していない。それは被分析者の語ることばである。事実がはっきりとそのことを証し立てている。さて、語ることばは必ず応答を求めるものである。私たちがこれから示そうと思うのは、応答のない語りかけというものは存在しない、ということである。たとえ、その語りかけに沈黙で応じたとしても、聴き手がいる限り、このやりとりのうちに、精神分析の核心は存している。」(「精神分析における語りと言語の機能と領野」)

あらゆる「自分についての物語」がそうであるように、被分析者の語りは、断片的な真実を含んではいますが、本質的には「作り話」に他なりません。

フロイトによれば、精神分析治療は、患者が無意識的に抑圧している心的過程を意識化させることで、症候を消失させることをめざしています。(「番人」が追い返していた「抑圧された心的過程」を「意識の部屋」に連れ出せば、症候は消失する、というのがフロイトの治療観です。)「意識化」というのは、要するに「言語化」ということですから、分析治療とは、「これまで誰にも話したことのない〈ほんとうの自分〉についての物語を語る」こととも言えます。

被分析者の語ることばには「核」があります。ただし、物語の「核」とは必ずしも「真実」

のことではありません。

自分自身の過去の記憶について考えてみれば、すぐに分かることですが、私たちはどれほど手がかりをたくさん示されても、どれほど仮借《かしやく》なく自己分析の刃を自分に突き立てても、決して厳密な意味で「過去の真実」そのものに到達することはできません。

私たちが自分の過去の記憶（それも「すっかり忘れていた子ども時代のこと」）をありありと思い出すのは、それを真剣に、注意深く聞いてくれる「聞き手」を得たときに限られます。「過去を思い出す」のは、（逆説的なことですが）、私と「聞き手」のあいだに、回想の語りを通じて、親密なコミュニケーションを打ち立てられそうな期待がある場合だけなのです。

とすれば、そういうときに私が思い出している過去というのは、「ほんとうにあったこと」なのかどうか、いささか心もとなくなります。

私たちが忘れていた過去を思い出すのは、「聞き手」に自分が何ものであるかを知ってもらい、理解してもらい、承認してもらうことができそうだ、という希望が点火したからです。だとしたら、そのような文脈で語られた「自分が何ものであるか」の告白には「自分が何ものであると思って欲しいか」のバイアスが強くかかっているはずです。それが真実なのか、欲望が作り出した物語なのか、聞き手はもちろん思い出しつつある私を含めて、誰にも確かめることはできません。

フロイトはヒステリー症状十八例の解釈を通じて、ヒステリーの病因が抑圧された幼児期の性的経験にあることを突き止めました。そして、「ヒステリーの病因について」(一八九六)でそれを定式化してみせました。しかし、そうしながらもフロイトは、その「記憶」は、もしかすると医者が患者に強要した記憶ではないか、「患者の方が故意に作り出したことや、勝手な空想を物語って、医者がそれを真実と思い込んでしまったりすることが、きわめてありうるのではないか」という懐疑を手放しませんでした。

のちにフロイトは、患者によって「思い出されたこと」は患者が「探し求めていたもの」と必ずしも同一ではないことに気づきます。それは「症状の原因」ではなく、「新しい症状」だったのです。

「患者が、探し求めていたものの代わりに思い出したもの自体、症状と同じようにして生まれたのです。すなわち、その思いつきは抑圧されていたものの、人工的で、一時的な新しい代理形成物であり、抵抗の影響で歪曲されることが大きければ、大きいだけ、抑圧されていたものと異なるのです。」(「精神分析について」)

患者が「心の扉」を開いて「思い出した」記憶が「ピュアな真実」である、ということは誰によっても証明不可能です。（タイムマシンがあれば別ですが。）そして、記憶がどれほど頼りにならないものか、私たちは熟知しています。

最近アメリカでは、カウンセリングを通じて、「抑圧されていた」幼児期の性的虐待の記憶が甦《よみがえ》り、成人になった子どもが親を告訴するという事例が相次いでいます。父親が自分の友人をレイプして撲殺する現場に立ち会ったため、衝撃のあまり事件にかかわるすべての記憶を抑圧していた女性が、二十年後に不意にそれを思い出して、その証言に基づいて、父親が逮捕されたという事件がカリフォルニアでありました。

この審理に鑑定人として召喚された「偽造記憶」の専門家であるロフタスは、この女性が「思い出した」内容がメディアですでに報道されていた情報に限られていること、それればかりかメディアが誤報した（現実にはなかったこと）まで女性が「思い出した」ことを論拠として、「記憶を、新聞やテレビから得た事実と統合し、日常会話から拾った細部を加えて、筋のとおった話を作り上げるというのはありがちなことだ」と指摘しています。（E・F・ロフタス他『抑圧された記憶の神話』）

「無意識の部屋」に閉じ込められて「冷凍保存」された記憶を「解凍」すると、「昔のまま」の記憶が甦るというふうに考えるのは、おそらく危険なことです。記憶とはそのような確かな「実体」ではありません。それはつねに「思い出されながら形成されている過去」なのです。

ですから、精神分析の場で、被分析者は「抑圧の起源」めざして語っているつもりでいるのですが、文字通りの「起源」に触れることができるなどと分析家は期待してはいないのです。しかし、「探しているもの」と「思い出したもの」がそのつど違っても、別にそれで困ることはありません。「ことばが届かない〈あるもの〉が、そこにある」という事実を確信することは、被分析者を沈黙とコミュニケーションの断念にではなく、むしろ「聴き手」をめざす発語へ、対話へと駆り立てるからです。被分析者の語る物語の奥底に存する「根源的な疎外」は治療を妨害するのではなく、むしろそれを進行させる力なのです。精神分析の対話は、この被分析者の「満たされなさ」を生成的な核として展開することになります。

「この満たされぬ気持はどこから来るのだろう？　分析家が黙り込んでいるからだろうか？だが、被分析者の無内容な語りに分析家が応答すると、それも肯定的な応答をしてしまうと、それは沈黙以上に被分析者の満たされぬ気持を昂進させることが知られている。ということは、ここで問題になっているのは、被分析者の語ることばそのもののうちに内在しているある種の〈満たされなさ〉だということにはならないだろうか？　つまり被分析者という主体は、語れば語るほど、自身の存在感が希薄になるような気分を味わっているのではないのだろうか？　（略）結局、被分析者は、彼自身の存在は、想像の世界の中に彼が作り上げた作品の中にしかなかったし、この作品がいまや彼の自己確信とずれを生じている、という事実を認めている、ということではないのだろうか？」（「精神分析における語りと言語の機能と領野」）

意外に思われるかも知れませんが、精神分析的対話は、被分析者が「ほんとうに体験したこと」や「ほんとうに考えていること」を探り当てるためになされているのではありません。いくら語っても、おのれの中心にある「あるもの」に触れることができないという構造的な「満たされなさ」から被分析者は決して逃れることができないからです。被分析者が語っているのは「空語」です。全力を尽くして、被分析者は自分について語っているつもりで、むなしく「誰かについて」語っているのです。「その誰かは、被分析者が、それこそ自分だと思い込んでしまうほど、彼自身に似ている」だけなのです。

しかし、それでよいのです。どれほど「漸近線」な接近に過ぎなかろうとも、「自我」について語ることによって、被分析者と分析家のあいだで創作され、承認された「物語」の中での「私」という登場人物はどんどんリアリティを増してゆくからです。被分析者は語ることを通じて、分析家との「あいだ」に架橋された構築物の上にその主体性の軸足をシフトしてゆきます。精神分析的対話とは、いわば被分析者の「本籍」を、彼の「内部」から、分析家と被分析者が両者の中間にある中空に共作しながら構築している「物語」の内部へと移す、「戸籍の移転」に類する作業なのです。

症状は、患者の内部にわだかまる「何か」が「別のもの」に姿を変えて身体の表層に露出した、一つの「作品」です。同じように、被分析者が語る「抑圧された記憶」もまた、一つの「作品」です。ですから、この「戸籍の移転」は「あるつくりもの」を「別のつくりもの」に置き換えることに過ぎません。しかし、それでも、ある病的症状がより軽微な別の症状に「すり替え」られたとしたら、それは実利的に言えば、「治療の成功」と言ってよいのです。それが「無意識的なものの代わりに意識的なものを立てること、すなわち無意識的なものを意識的なものに翻訳すること」というフロイトの技法なのです。

「無意識的なものを意識に移すことによって抑圧を解除し、症候形成のための諸条件を除去し、病因となっている葛藤を、何らかのかたちで解決されているはずの正常な葛藤に変えるのです。」(『精神分析入門』)

フロイトはそれこそ精神分析の仕事であると言い切っています。その本質的なみぶりである「別のものを立てる」「翻訳する」「転移する」「取り替える」はすべてドイツ語では übertragenという一つの動詞で言い表すことができます。精神分析の仕事とは、ですからひとことで言えば「ユーバートラーゲンすること」なのです。

さきほどから繰り返しているように、「無意識的なものを意識的なものに移す」というのは、決して「抑圧されていた記憶を甦らせて、真実を明らかにする」ということを意味するのではありません。病因となっている葛藤が解決されるなら、極端な話、何を思い出そうと構わないのです。精神分析の使命は「真相の究明」ではなく、「症候の寛解」だからです。

フロイトのヒステリー患者たちが語った過去の性的トラウマのいくぶんかは偽りの記憶でした。しかし、「偽りの記憶」を思い出すことで症状が消滅すれば、分析は成功なのです。分析治療について、ラカンもフロイトのこの知見を支持します。

ラカンはここで音楽の比喩を使っています。五線譜の上での楽音の動きにとって重要なのは、ある音符と別の音符のつながり方や、五線譜上の別の音符との和音です。それだけが意味を持ちます。五線譜から切り離されて、単独に取り出された「音そのもの」には音楽的には何の意味もありません。

分析的対話における患者の「語ることば」もそれと同じです。それは単独に取り出すことができる経験的な「事実」ではありません。それは一つの音符と同じく、総譜の上で、他のすべての音符とどのような関係を取り結んでいるかによってのみ、その「価値」を決定される記号に他なりません。（この「価値」という術語の意味はソシュールの章で定義しておいたのと同じです。）ですから、分析家が被分析者のことばを聞くとき、それは「誰に対しても同じように語られうる」客観的事実を語っていると考えてはなりません。

「分析家のメッセージが主体の深遠なる問いかけに応答するためには、主体が、そのメッセージをまさに自分だけのために向けられた返答として聴き取ることが必要なのだ。」（「精神分析における語りと言語の機能と領野」）

ここでいう「主体」とは「分析主体」すなわち被分析者のことです。（「患者」と呼ばずに「分析主体」と呼ぶのはラカンの用語です。）

分析家と被分析者のあいだの即興的で一回的なことばのやりとり、それは音楽の比喩を続けるなら、むしろジャズのインプロヴィゼーションに近いのかも知れません。一人のプレイヤーがあるフレーズを送る。それを受けたプレイヤーがそのフレーズを反復し、解釈し、変奏し、厚みを加え、新しい可能性を切り開いて、また元のプレイヤーに投げ返す。それが繰り返されるのです。そうやって、譜面に一つの旋律が記譜されるように、一つの「物語」が記されてゆきます。

分析家と被分析者のやりとりは、（一つ一つの音符の集積がやがて主題をもった旋律をなしてゆくように）、一つの物語世界を構築してゆきます。その物語がめざしているのは、楽曲がどのような意味でも「現実の再現」ではないのと同じように、現実の再現でも想起でも真実の開示でもありません。それは一つの象徴化作用にほかなりませんし、極言すれば、一つの「創造行為」なのです。

　この対話で往還した一つ一つのことばの「意味」は、そのときの対話の文脈のうちで、それらのことばがどのような「価値」を持っていたのかによってのみ決定されます。ですから、メッセージを別の文脈に置き換えることはできません。分析主体が語ったことばは、その分析家とのあいだでの語りの文脈でのみ有意なのであって、別の分析家を相手に、同じ語りをもう一度そのまま繰り返せば、意味はまったく変わってしまいます。（それは例えば、ピアニストに向かって、ベース相手のインプロヴィゼーションで繰り出したのと同じフレーズを、三味線を相手にしてもう一度演奏して欲しい、と頼むのと同じことです。）

　分析とは、いわば分析家と被分析者のあいだに奇跡的に成立する、一回的で、代替《だいたい》不能の「コラボレーション」です。ラカンはこう書きます。

「言語活動の機能は、情報を伝えることにはない。思い出させることである。

私がことばを語りつつ求めているのは、他者からの応答である。私を主体として構成するのは、私の問いかけである。私を他者に認知してもらうためには、私は『かつてあったこと』を『これから生起すること』めざして語る他ないのである。（略）私は言語活動を通じて自己同定を果たす。それと同時に、対象としては姿を消す。私の語る歴史＝物語の中でかたちをとっているのは、実際にあったことを語る単純過去ではない。そんなものはもうありはしない。いま現在の私のうちで起きたことを語る複合過去でさえない。歴史＝物語のうちで実現されるのは、私がそれになりつつあるものを、未来のある時点においてすでになされたこととして語る前未来なのである。」（「精神分析における語りと言語の機能と領野」）

ラカンによれば、被分析者がそのトラウマについて語るときの時制は、「過去のほんとうにあった出来事」を語る単純過去形ではなく、未来のある時点を起点として、そのときにすでに完了している行為を示す前未来形です。（「夕方までには、私は仕事を終えてしまっているだろう」というようなのが前未来の使い方です。）

私が自分の過去の出来事を「思い出す」のは、いま私の回想に耳を傾けている聞き手に、「私はこのような人間である」と思って欲しいからです。私は「これから起きて欲しいこと」、つまり他者による承認をめざして、過去を思い出すのです。私たちは未来に向けて過去を思い出すのです。

ラカンが「自我」(moi) と「私」(je) と「主体」(sujet) という同義語を手品師のように巧妙な手際で使い分けている理由もこれでお分かりになるかと思います。

「自我」とは主体がどれほど語っても、決してことばがそこに届かないものです。主体をして語ることへ差し向ける根源的な「満たされなさ」のことです。

「言いたいことがあるのだが、どうしてもそれが言葉にならない」ということは私たちの身にしばしば起こります。そのとき、「何が言いたいのか」を言うことはできませんけれど、「どうしても言葉にならないもの」がそこに「ある」ということだけは言うことができます。ラカンの「自我」は、その「言葉にならないけれど、それが言葉を呼び寄せる」ある種の磁場のようなものだと思ってください。

フロイトは「自我」を「ことばの核」と名づけました。主体が「私」として語っているとき、そのつど構造的に主体による自己規定、自己定位のことばから逃れ去るもの、そしてそれゆえ、さらにことばを語ることを動機づけるもの、それが「自我」です。ですから、対話の目的は、この「自我」の「何ものであるか」を言うことではなく、ただ「自我」の「ありか」を探り当て、その「作用」を見切ることなのです。それが精神分析の仕事です。

「自我」とはそのようなものです。これに対して、「私」とは相手のいる対話の中で「私は……

である」という言い方で自己同一化を果たす主体のことです。

「私」とは、主体が「前未来形」で語っているお話の「主人公」です。

つまり、「自我」と「私」は主体の二つの「極」をなしているわけです。主体はその二極間を行きつもどりつしながら、「自我」と「私」の距離をできるだけ縮小することにその全力を賭けます。そして、分析家の仕事は、それを支援することに存するのです。

3　大人になるということ

鏡像段階の解説をするつもりで、いささかこむずかしい話に踏み込んでしまいました。しかし、ラカンの言っていることは、ことばは複雑ですが、経験的には熟知されていることです。

精神病院の救急病棟に長く勤務していた知人の精神科医によると、どれほどパニックになっている急患であっても必ず医師に向かって何かを「語ろうとする」し、そのことばだけがとりあえず治療の唯一の手がかりであると言います。患者の口にすることばを軸にして、医師と患者だけの「あいだでのみ」通用する特異な語法を作り上げ、それを使って、医師は患者が経験している内的世界を想像的に追体験します。一方、患者は妄想的な内的世界をことばにして表出することによって、閉じられた世界から脱出する道を見つけ出します。

他者とことばを共有し、物語を共作すること。それが人間の人間性の根本的条件です。精神疾患の治療とは、まさにこの人間の基本に問題をかかえる人々をコミュニケーションの回路の中にふたたび迎え入れることをめざしているのです。さて、私たちがすでにかなり踏み込んでしまったこの人間の「社会化」プロセスこそ、「エディプス」と呼ばれるものなのです。「エディプス」とは、図式的に言えば、子どもが言語を使用するようになること、母親との癒着を父親によって断ち切られること、この二つを意味しています。これは「父性の威嚇的介入」の二つのかたちです。これをラカンは「父の否＝父の名」(Non du Père/Nom du Père) という「語呂合わせ」で語ります。

何か鋭利な刃物のようなものを用いて、ぐちゃぐちゃ癒着したものに鮮やかな切れ目を入れてゆくこと、それが「父」の仕事です。ですから、「父」は子どもと母との癒着に「否」(Non) を告げ、(近親相姦を禁じ)、同時に子どもに対して、ものには「名」(Nom) があることを (あるいは「人間の世界には、名を持つものだけが存在し、名を持たぬものは存在しない」ということを) 教え、言語記号と象徴の扱い方を教えるのです。

切れ目を入れること、名前をつけること。これはソシュールの説明で見たように、実は同じ一つの身ぶりです。アナログな世界にデジタルな切れ目を入れること、それは言語学的に言えば「記号による世界の分節」であり、人類学的に言えば「近親相姦の禁止」です。（「分節」articulationというのは訳語のむずかしい術語です。この語は「関節」「区切り」「断片」を意味します。動詞形articulerは「断片化されたものを結びつける」という意味と、「はっきりと発音する」という意味があります。「断片」に「分かたれたもの」を結びつけることで、意味のある「ことばを語る」という一連の動作をこの語は一語で言い表しているわけです。）

ことばを学びつつある子どもは、いま学びつつある母国語がどのようなルールに基づいて世界を分節しているのかは分かりません。（レヴィ＝ストロースが信憑や習慣について言ったのと同じです。私たちはどのような制度であれ、その「起源」には決して触れることができないのです。）

「羊」について「ムートン」という語だけを持つ言語共同体の中で育ったものと、「シープ／マトン」の二つの語を持つ言語共同体の中で育ったものでは、「羊」の見え方がはじめから違います。ことばを学ぶ子どもはそれを「まるごと」受け容れる他ありません。

子どもが育つプロセスは、ですから言語を習得するというだけでなく、「私の知らないところですでに世界は分節されているが、私はそれを受け容れる他ない」という絶対的に受動的な位置に自分は「はじめから」置かれているという事実の承認をも意味しているのです。

子どもの成長にとって言語を使用するということは不可欠のことですが、それは同時に、この世界は「すでに」分節されており、自分は言語を用いる限り、それに従う他ない、という「世界に遅れて到着した」ことの自覚を刻み込まれることをも意味しています。

私たちは民話や都市伝説や小説や映画やマンガやTVドラマや、無数の物語を持ち、それを絶えず生産し消費していますが、ラカンが私たちに気づかせてくれることの一つは、それらの物語のうちの実に多くのものが「エディプス」的機能を果たしているということです。

ここでは童話を一つ取り上げて、その事実を確認してみたいと思います。取り上げるのは、『こぶとり爺さん』という童話です。

お話はよくご存知でしょうが、もう一度確認しておきましょう。

昔、二人のお爺さんが隣り合って暮らしていました。二人とも、頬に大きなこぶがありました。あるとき、一人のお爺さんが山で雨にあって木の洞《ほら》で雨宿りをしていると、鬼たちがやってきて宴会を始めます。はじめはこわごわ見ていたお爺さんですが、そのうちに調子に乗って、いっしょに舞うと、これが鬼たちに受けて、「明日も来い。これはカタにとっておく」と言ってこぶを取られてしまいます。この話を聞いた隣のお爺さんが翌日山に出かけて、同じようにひとふし舞ってみせたのですが、これは不評で、鬼に両方の頬にこぶをつけられてしまいました。おしまい。

こうやってあらすじを紹介すると、かなり「不条理」な物語です。

この物語に「教訓」があるとすれば、それは何でしょう。「芸は身を助ける」ということでしょうか。

それはありえません。「よいお爺さん」が日ごろから踊りの稽古に余念がなく、「悪いお爺さん」がそれを冷笑していた、などという記述はどこにもないからです。（もしみなさんがお読みになったものにそのような「合理的説明」を施したものがあったら、それは間違いなく、リライトした作家による改作です。長く語り伝えられている説話はすべて本質的に「不条理」なお話です。そもそも「努力した人は報われる」というようなつまらない説話を、誰が好んで何世紀も語り伝えるものですか。）二人ともいずれ劣らぬお粗末な素人踊りを鬼の前で披露したにもかかわらず一方は報償を受け、一方は罰せられました。

あらためて考えると、実に不可解な話だと思いませんか。どちらも区別しがたいほどにへたくそな踊りをしたのに、一方は報償を受け、一方は罰せられるなんて。

実は、この物語の教訓は「この不条理な事実そのものをまるごと承認せよ」という命令のうちにこそあるのです。

この物語の要点は「差別化＝差異化＝分節がいかなる基準に基づいてなされたのかは、理解を絶しているが、それをまるごと受け容れる他ない」と子どもたちに教えることにあります。

物語では鬼が実際に登場しますので、私たちはついその派手なヴィジュアルに気を取られて見落としがちですが、実はこの話は鬼は単なる機能であって、どんなかたちをしていても構わないのです。

「鬼」とは、ある差異化が行われた後になって、「〈誰か〉が差異化を実行したのだが、その差異化がどういう根拠で行われたのかは決して明かされない」という事実を図像的に表象したものです。つまり、「鬼」というのは存在する「もの」ではなく、「世界の分節は、〈私〉が到来する前にすでに終わっており、〈私〉はどういう理由で、どういう基準で、分節がなされたのかを遡及的に知ることができない」という人間の根源的な無能の「記号」なのです。

頰のこぶの「切断」というエピソードは、世界の言語的「分節」が、そのまま「去勢」(それは「父の否」が特に子どもに対して権力的に発動したときの暴力的な相を示すことばです)と同義であることを正しく示しています。

「爺さん」たちは「子ども」なのです。(外見に惑わされてはいけません。夢と同じように、物語においても、記号はつねに「それらしくない」かたちをとるのです。)

彼らの仕事は、この世には理解も共感も絶した「鬼」がいて、世界をあらかじめ差異化しているという「真理」を学習することです。それを学び知ったときはじめて、「子ども」はエディプスを通過して「大人」になるからです。

『こぶとり爺さん』の鬼がふるう権力と恐怖は、それが「どういう基準に基づいて差別化をしているのかが見えない」という点に支えられています。それは独裁者や暴君の権力と構造的によく似ています。

人々が独裁者を恐れるのは、彼が「権力を持っているから」ではありません。そうではなく、「権力をどのような基準で行使するのか予測できないから」なのです。廷臣たちのうち誰が次に寵《ちょう》を失って死刑になるか、それが誰にも予測できないときに権力者は真に畏怖されます。

これを「権力を持つものはどのような理不尽でも許される」というふうに合理的に説明しようとすると、話が見えなくなります。私たちはほとんどの場合、原因と結果を取り違えるからです。（これはニーチェのことばです。）正しくは、「理不尽な決定を下すものに人は畏《おそ》れを抱く」のです。（考えて見れば、当然です。どれほどの権力を持っていようと、権力の行使の仕方が合理的で明快なルールに則っていれば、その人は決して「暴君」とは呼ばれません。現代アメリカの大統領はおそらく歴史上最大の権力者ですが、「合理的で明快なルール」に則って権力を行使することを義務づけられているので、誰も彼を畏れません。）

逆に、私たちは他人に権力的な影響力を行使しようとするとき、必ず「理不尽」になります。（例えば、家庭では成員中で「もっとも理不尽にふるまうもの」がその家の権力者になります。非力な子どもだって、おとなしい妻だって、稼ぎのない亭主だって、理不尽でありさえすれば、たちまち他の家族から恐怖のまなざしでみつめられ、好き放題させてもらえます。）

そんなばかばかしい支配戦略が可能なのは、私たちの心が、根拠のない差別が自分に加えられたときには、その実行者を「抗《あらが》うことのできない強権の保持者」であると思い込むように構造化されているからです。

ヤクザの恐喝と刑事の取り調べはどちらもそのような人情の機微に通じているという点で、よく似ています。これはだいたい二人一組で行われ、一方が「怖い人」、一方が「話の分かる人」の役を引き受けます。「怖い人」が「こら、なめたらあかんど」と脅かし、「話の分かる人」が割って入って、「ま、そんな怒鳴るもんやないで。兄ちゃん、こわがっとるやないか」と助け船を出してくれます。そこでこちらは「話の分かる人」に「わらをもすがる」気持でとりなしを求めることになります。ところが、「話の分かる人」だったはずのその人が、こちらに十分すがりつかせておいたところで、突然凶悪な相貌に変じて、「こら、なに調子こいとるんや！」とどなりつけ出すのです。その瞬間に理性は「条理」に対する最後の頼りを失って、がたがたと崩れ去る……というのが「オトシ」の基本的な仕掛けです。

「私が無力無能である」という事実を味わったとき、反射的にその事態を、「私の外部にあって、私より強大なるものが私の十全な自己認識や自己実現を妨害している」という話型で説明する能力を身につけること、平たく言ってしまえば、「怖いもの」に屈服する能力を身につけること、それがエディプスというプロセスの教育的効果なのです。

そのようにして私の外部に神話的に作り出された「私の十全な自己認識と自己実現を抑止する強大なもの」のことを精神分析は「父」と呼びます。「父」とは、そのようにして「私」の弱さをも含めて「私」をまるごと説明し、根拠づけてくれる神話的な機能の別名なのです。

ですから、この「父」という機能は、それこそどんなものでも担うことができるのです。現実の父親はもちろんですが、権力者も、悪魔も、ブルジョワジーも、共産主義者も、ユダヤ人も、フリーメーソンも、植民地主義者も、男権主義者も……およそ、「私」の自己実現と自己認識が「うまくゆかない」場合の「原因」に擬されるものはすべて「父」と呼ぶことが可能です。そして、「父」の干渉によって、「うまくゆかない」ことの説明を果たした気になれるような心理構造を刷り込まれることを、私たちの世界では「成熟」と呼んでいるのです。

『こぶとり爺さん』という童話はその意味で聖書の「カインとアベル」と同一の説話構造を有していることになります。聖書では、同じような供物《くもつ》を神に捧げたカインとアベルの二人の兄弟のうち、カインの貢ぎ物は主に拒まれ、アベルの供物だけ受け取られます。理由は不明。しかし、主の絶対的権威はまさにこの「理不尽な差別」によって説話的に基礎づけられることになるのです。

同じような話を人類は無数に持っています。ほとんど「そのこと」を語ること以外に知性には仕事がないかのように、私たちは同じ話型を過去おそらく数万年前から、神話として、民話として、宗教として、社会理論として、政治的イデオロギーとして、ときには科学として、延々と語り継いでいるのです。

4 コミュニケーションにこそ価値がある

ラカンの考え方によれば、人間はその人生で二度大きな「詐術」を経験することによって「正常な大人」になります。一度目は鏡像段階において、「私ではないもの」を「私」だと思い込むことによって「私」を基礎づけること。二度目はエディプスにおいて、おのれの無力と無能を「父」による威嚇《いかく》的介入の結果として「説明」することです。

みもふたもない言い方をすれば、「正常な大人」あるいは「人間」とは、この二度の自己欺瞞をうまくやりおおせたものの別名です。

ですから、精神分析の治療は、ふつうはエディプスの通過に失敗した被分析者を対象とするわけですが（鏡像段階を通過できなかった人には「私」がないので、おそらく分析にまでたどりつくことさえできないでしょう）、その作業は、標準的には、分析家を「父」と同定して、「自分についての物語」をその「父」と共有し、「父」に承認してもらうというかたちで進行することになります。

　さきに見たとおり、精神分析では、分析家はひたすら分析主体のことばに耳を傾けます。分析主体のことば以外のデータを排し、その言説の内部にとどまるのです。重要なのは分析主体の言説を理解しているかどうかではありません。語りかけと応答がテンポよく進行すればそれでよいのです。その「コール＆レスポンス」が分析的対話の真の推進力なのです。分析家が分析主体に与えるのは「理解」ではなく、「返事」なのです。

　とすれば、さきにレヴィ＝ストロースの解説で言語的コミュニケーションについて述べたことは精神分析的対話にもほとんどそのままあてはまることになります。

　他者との言語的交流とは理解可能な陳述のやりとりではなく、ことばの贈与と嘉納のことであって、内容はとりあえずどうでもよいのです。だって、「ことばそれ自体」に価値があるからです。ことばの贈り物に対してはことばを贈り返す、その贈与と返礼の往還の運動を続けることが何よりもたいせつなのです。

　レヴィ＝ストロースによれば、メッセージの交換を行いうることは「人間」であるための必須条件です。したがって精神分析の目的は、とにもかくにも、問いかけと応答の往還の運動のうちに分析主体を引きずり込むことにあります。分析主体が知るべきなのは、自分の症候の「真の病因」などではありません。そんなものはどうでもよいのです。大事なのは、この対話を通じて、欲しいもの（いまの場合でしたら、「自分の成り立ちについてのつじつまのあった物語」）を手に入れるためには他者（分析家）を経由しなければならないという人類学的な真理を学習することなのです。自分自身を言語のネットワークの中の「どこか」に定位することなのです。

分析家は分析が終わると、必ずそのたびに被分析者に治療費を請求しなければならない、というのが精神分析のたいせつなルールです。決して無料で治療してはならないというのは大原則です。ラカンの「短時間セッション」は場合によると握手だけで終わることがありましたが、そのときでもラカンは必ず満額の料金を受領しましたし、料金を支払えなかった被分析者に対してはて平手打ちを食わせることをためらいませんでした。「お金を払う」ことは非常に重要なのです。なぜなら、被分析者は分析家に治療費を支払うことで、精神分析の診察室において「財貨とサービスのコミュニケーション」である経済活動にも参与することになるからです。

精神分析の目的は、症状の「真の原因」を突き止めることではありません。「治す」ことです。そして、「治る」というのは、コミュニケーション不調に陥っている被分析者を再びコミュニケーションの回路に立ち戻らせること、他の人々とことばをかわし、愛をかわし、財貨とサービスをかわし合う贈与と返礼の往還運動のうちに巻き込むことに他なりません。そして、停滞しているコミュニケーションを、「物語を共有すること」によって再起動させること、それは精神分析に限らず、私たちが他者との人間的「共生」の可能性を求めるとき、つねに採用している戦略なのです。

あとがき

構造主義の入門書を書きたいと前から思っていました。

構造主義の諸思潮が怒濤のように日本に流入してきたのは、私が仏文の学生だったころのことです。

私は「最新流行の思想のモード」にキャッチアップしようと必死になりましたが、構造主義の主著はどれも法外に難解でしたし、やむなく頼った日本語の解説書は、むずかしい概念をただむずかしい訳語に置き換えただけのものでした。それらの書物が何を言おうとしているのか、二十歳の私には結局少しも分かりませんでした。

私が読んでもすらすら分かるような、「ふつうのことば」で書かれたフランス現代思想の解説書はないものだろうか、『涙なしの記号論』とか『いきなり始める精神分析』とか『寝ながら学べる構造主義』というような題名の書物があったら、どれほどありがたいことだろう。二十歳の私はそう切実に思いました。

それから幾星霜。私も人並みに世間の苦労を積み、「人としてだいじなこと」というのが何であるか、しだいに分かってきました。そういう年回りになってから読み返してみると、あら不思議、かつては邪悪なまでに難解と思われた構造主義者たちの「言いたいこと」がすらすら分かるではありませんか。

レヴィ＝ストロースは要するに「みんな仲良くしようね」と言っており、バルトは「ことばづかいで人は決まる」と言っており、ラカンは「大人になれよ」と言っており、フーコーは「私はバカが嫌いだ」と言っているのでした。

「なんだ、『そういうこと』が言いたかったのか。」

べつに哲学史の知識がふえたためでも、フランス語読解力がついたためでもありません。馬齢を重ねているうちに、人と仲良くすることのたいせつさも、ことばのむずかしさも、大人になることの必要性も、バカはほんとに困るよね、ということも痛切に思い知らされ、おのずと先賢の教えがしみじみ身にしみるようになったというだけのことです。

年を取るのも捨てたものではありません。

落語の「千早ふる」では、「横丁のご隠居」が熊さん相手に在原業平の古歌の意を説いて、なかなか味のある解釈をします。私もご隠居の驥尾《きび》に付して、「ま、なんだな、この」というような前振りをしながら、構造主義者たちの滋味深き知見を「横丁のみなさん」に説き聞かせてみようと思い立ちました。そうやって書いたのが本書です。

「まえがき」にあるとおり、もとになったのは市民講座のノートです。それに少し手を加えて大学の紀要に載せて、学生さんに「入門書」として読んでもらおうと思っていたら、文春新書の嶋津弘章さんから「何か書きませんか」というオッファーが来ました。渡りに船とさらに書き足したら本が一冊できました。

初稿では、こんなに長くなかったのですが、嶋津さんから「専門用語だけでは分かりません、もっと具体的に」というチェックの入った箇所にぜんぶ「たとえ話」を書き込んだら、いつのまにかこんなに長くなってしまいました。申し訳ありません。

「まえがき」でもお断りしましたが、私はここに紹介した思想家たちの専門的な研究者ではありません。ですから、彼らについての最新の研究動向はよく知りませんし、専門的な論文などは読むと頭痛がしてくるのでなるべく視野に入れないようにしています。そのような人間が解説書を書くという暴挙が許されてよいのか、という疑念はまことにもっともですし、専門的な研究者の中には私の落語的解釈に青筋を立てて怒る人もいるかも知れませんが、そこはそれ、縁側でお茶のみながら、「熊さん」相手に「ご隠居」が長説教しているような本ですから、どうか笑って読み流していただきたいと思います。

二〇〇二年五月

内田　樹

引用、参考にした文献（初出順）

（このリストには本文中で直接言及・引用したものだけしか掲載していません。原典が指示されているものについては本文中の引用は内田が訳文しています。）

第一章

カール・マルクス『経済学・哲学草稿』、城塚登、田中吉六訳、岩波文庫、一九六四年

アレクサンドル・コジェーヴ『ヘーゲル読解入門』、上妻精、今野雅方訳、国文社、一九八七年

G・W・ヘーゲル『精神現象学』、長谷川宏訳、作品社、一九九八年

シグムント・フロイト『精神分析入門』、井村恒郎、馬場謙一訳、日本教文社、一九九四年

フリードリヒ・ニーチェ『道徳の系譜』、木場深定訳、岩波文庫、一九九六年

ニーチェ『悲劇の誕生』、西尾幹二訳、中央公論社、一九六六年

トマス・ホッブス『リヴァイアサン』、永井道雄、宗片邦義訳、中央公論社、一九七一年

ジョン・ロック『統治論』、宮川透訳、中央公論社、一九六八年

オルテガ・イ・ガセー『大衆の反逆』、寺田和夫訳、中央公論社、一九七一年

ニーチェ『ツァラトゥストラ』、手塚富雄訳、中央公論社、一九六六年

第二章

トゥリオ・デ・マウロ『「ソシュール一般言語学講義」校注』、山内貴美夫訳、而立書房、一九七六年
原典：Ferdinand de Saussure, *Cours de Liguistique Générale*, édition critique préparée par Tulio de Mauro, Payot, 1972
高島俊男『漢字と日本人』、文春新書、二〇〇一年
小林昌廣「肩凝り考」、中川米造、疾病論研究会編『病いの視座』所収、メディカ出版、一九八九年
岩井克人『貨幣論』、ちくま文庫、一九九八年

第三章

西江雅之『伝説のアメリカン・ヒーロー』、岩波書店、二〇〇〇年
フランソワ・ドッス『構造主義の歴史』上巻、清水正、佐山一訳、国文社、一九九九年
ミシェル・フーコー『狂気の歴史』、田村俶訳、新潮社、一九七五年
原典：Michel Foucault, *Histoire de la folie à l'âge classique*, Gallimard, 1973
武智鉄二『伝統と断絶』、風塵社、一九八九年
養老孟司、甲野善紀『古武術の発見』、光文社、一九九三年
亀井俊介『アメリカン・ヒーローの系譜』、研究社出版、一九九三年
エルンスト・ハルトヴィヒ・カントーロヴィチ『王の二つの身体』、小林公訳、平凡社、一九九二年

フーコー『監獄の誕生』、田村俶訳、新潮社、一九七七年
原典：Foucault, *Surveiller et punir-Naissance de la prison*, Gallimard, 1975
R・レイ『痛みの歴史』（邦訳なし）
原典：Roselyne Rey, *The History of Pain*, translated by L. E. Wallace et als. Harvard University Press, 1993
北澤一利『「健康」の日本史』、平凡社新書、二〇〇〇年
竹内敏晴『思想する「からだ」』、晶文社、二〇〇一年
フーコー『性の歴史I　知への意志』、渡辺守章訳、新潮社、一九八六年
原典：Foucault, *Histoire de la sexualité I, La volonté de savoir*, Gallimard, 1976

第四章

ロラン・バルト『テクストの快楽』、沢崎浩平訳、みすず書房、一九七七年
原典：Roland Barthes, Le Plaisir du texte, in *Œuvres complètes Tome II*, Édition du Seuil, 1994
ショシャナ・フェルマン『女が読むとき　女が書くとき——自伝的新フェミニズム批評』、下河辺美知子訳、勁草書房、一九九八年
エドガール・モラン『映画——あるいは想像上の人間』、渡辺淳訳、法政大学出版局、一九八三年

バルト「作者の死」、『物語の構造分析』所収、花輪光訳、みすず書房、一九七九年
原典：Barthes, La Mort de l'auteur, *Œuvres complètes Tome II*
バルト『零度のエクリチュール』、渡辺淳他訳、みすず書房、一九七一年／『エクリチュールの零度』、森本和夫、林好雄訳註、ちくま学芸文庫、一九九九年
原典：Barthes, Le Degré zéro de l'écriture, in *Œuvres complètes, Tome I*, Seuil, 1993
バルト『表徴の帝国』、宗左近訳、ちくま学芸文庫、一九九六年
原典：Barthes, L'Empire des signes, in *Œuvres complètes Tome II*

第五章

クロード・レヴィ＝ストロース『野生の思考』、大橋保夫訳、みすず書房、一九七六年
原典：Claude Lévi-Strauss, *La Pensée sauvage*, Plon, 1962
レヴィ＝ストロース『構造人類学』、荒川幾男等訳、みすず書房 一九八五年
原典：Lévi-Strauss, *Anthropologie structurale*, Plon, 1958
レヴィ＝ストロース『今日のトーテミスム』、仲沢紀雄訳、みすず書房、一九七〇年
原典：Lévi-Strauss, *Le Totémisme d'aujourd'hui*, PUF, 1962

第六章
ジャック・ラカン「私の機能を形成するものとしての鏡像段階」「精神分析における語りと言語の機能と領野」、『エクリⅠ』所収、宮本忠雄、竹内迪也、高橋徹、佐々木孝次訳、弘文堂、一九七二年
原典：Jacques Lacan, *Écrits I*, Seuil, 1966
フロイト「ヒステリーの病因について」、馬場謙一訳、『フロイト著作集10』所収、人文書院、一九八三年
フロイト「精神分析について」、青木宏之訳、『フロイト著作集10』所収、人文書院、一九八三年
E・F・ロフタス他『抑圧された記憶の神話』、仲真紀子訳、誠信書房、二〇〇〇年
（なお、第五章中のビットの説明については小田嶋隆氏（『笑っておぼえるコンピュータ事典』、ジャストシステム、一九九二年）から、第六章、ラカン＝フロイトについては鈴木晶、名越康文両氏から、貴重なご教示を賜りましたことを感謝とともに付記しておきます。）

内田　樹（うちだ たつる）

1950年東京生まれ。東京大学文学部仏文科卒。東京都立大学大学院博士課程中退。2011年3月、神戸女学院大学大学院文学研究科教授を退職。現在は同大学名誉教授。専門はフランス現代思想、映画記号論、武道論。2007年『私家版・ユダヤ文化論』で第6回小林秀雄賞を受賞。『日本辺境論』で新書大賞2010を受賞。他の著書に『ためらいの倫理学』『「おじさん」的思考』『下流志向』『村上春樹にご用心』『街場のメディア論』『レヴィナスと愛の現象学』『他者と死者』『うほほいシネクラブ』等。

文春新書

251

寝《ね》ながら学《まな》べる構造主義《こうぞうしゆぎ》

2002年6月20日　第1刷発行
2025年3月25日　第52刷発行

著　者　内田　樹
発行者　大松芳男
発行所　株式会社 文藝春秋

〒102-8008　東京都千代田区紀尾井町3-23
電話（03）3265-1211（代表）

印刷所　理想社
付物印刷　大日本印刷
製本所　大口製本

定価はカバーに表示してあります。
万一、落丁・乱丁の場合は小社製作部宛お送り下さい。
送料小社負担でお取替え致します。

ISBN4-16-660251-9

◆日本の歴史

渋沢家三代　佐野眞一
古墳とヤマト政権　白石太一郎
謎の大王 継体天皇　水谷千秋
謎の豪族 蘇我氏　水谷千秋
謎の渡来人 秦氏　水谷千秋
継体天皇と朝鮮半島の謎　水谷千秋
女たちの壬申の乱　水谷千秋
教養の人類史　水谷千秋
昭和史の論点　坂本多加雄・秦 郁彦・半藤一利・保阪正康
あの戦争になぜ負けたのか　半藤一利・保阪正康・中西輝政・戸髙一成・福田和也・加藤陽子
日本のいちばん長い夏　半藤一利編
昭和陸海軍の失敗　半藤一利・秦 郁彦・平間洋一・保阪正康・黒野 耐・戸髙一成・戸部良一・福田和也
昭和の名将と愚将　半藤一利・保阪正康
日本型リーダーはなぜ失敗するのか　半藤一利
「昭和天皇実録」の謎を解く　半藤一利・保阪正康・御厨 貴・磯田道史
大人のための昭和史入門　半藤一利・船橋洋一・出口治明・水野和夫・佐藤 優・保阪正康他

21世紀の戦争論　半藤一利・佐藤 優
なぜ必敗の戦争を始めたのか　半藤一利
歴史探偵 忘れ残りの記　半藤一利
歴史探偵 昭和の教え　半藤一利
歴史探偵 開戦から終戦まで　半藤一利
昭和史の人間学　半藤一利
令和を生きるための昭和史入門　保阪正康
近代日本の地下水脈Ⅰ　保阪正康
十七歳の硫黄島　秋草鶴次
山県有朋　伊藤之雄
指揮官の決断　早坂 隆
永田鉄山 昭和陸軍「運命の男」　早坂 隆
ペリリュー玉砕　早坂 隆
日本人の誇り　藤原正彦
天皇陵の謎　矢澤高太郎
児玉誉士夫 巨魁の昭和史　有馬哲夫
遊動論 柳田国男と山人　柄谷行人
火山で読み解く古事記の謎　蒲池明弘

邪馬台国は「朱の王国」だった　蒲池明弘
「馬」が動かした日本史　蒲池明弘
文部省の研究　辻田真佐憲
古関裕而の昭和史　辻田真佐憲
大日本史　山内昌之・佐藤 優
日本史のツボ　本郷和人
承久の乱　本郷和人
権力の日本史　本郷和人
北条氏の時代　本郷和人
日本史を疑え　本郷和人
黒幕の日本史　本郷和人
明治天皇はシャンパンがお好き　浅見雅男
江戸のいちばん長い日　安藤優一郎
江戸の不動産　安藤優一郎
姫君たちの明治維新　岩尾光代
日本史の新常識　文藝春秋編
秋篠宮家と小室家　文藝春秋編
美しい日本人　文藝春秋編

◆考えるヒント

ちょっと方向を変えてみる　辻　仁成
フェミニズムってなんですか？　清水晶子
小さな家の思想　長尾重武
日本人の真価　藤原正彦
日本の伸びしろ　出口治明
ソーシャルジャスティス　内田　舞
70歳からの人生相談　毒蝮三太夫
柄谷行人『力と交換様式』を読む　柄谷行人ほか
初めて語られた科学と生命と言語の秘密　松岡正剛・津田一郎
福田恆存の言葉　福田恆存
疑う力　真山　仁
定年後に読む不滅の名著200選　文藝春秋編
運　安田隆夫

◆サイエンスとテクノロジー

世界がわかる理系の名著　鎌田浩毅
「大発見」の思考法　山中伸弥・益川敏英
ねこの秘密　山根明弘
ティラノサウルスはすごい　土屋　健・小林快次監修
アンドロイドは人間になれるか　石黒　浩
マインド・コントロール　岡田尊司
サイコパス　中野信子
首都水没　土屋信行
水害列島　土屋信行
植物はなぜ薬を作るのか　斉藤和季
超能力微生物　小泉武夫
フレディ・マーキュリーの恋　竹内久美子
猫脳がわかる！　今泉忠明
ウイルスVS人類　瀬名秀明・押谷　仁・五箇公一・岡部信彦・河岡義裕・大曲貴夫・NHK取材班
がん治療革命ウイルスでがんを治す　藤堂具紀
ゲノムに聞け　中村祐輔
妊娠の新しい教科書　堤　治
AI新世　人工知能と人類の行方　小林亮太・篠本　滋・甘利俊一監修
お天気ハンター、異常気象を追う　森さやか
スパコン富岳の挑戦　松岡　聡
分子をはかる　藤井敏博
メタバースと経済の未来　井上智洋
半導体有事　湯之上隆
チャットGPT vs.人類　平　和博
日本百名虫　フォトジェニックな虫たち　坂爪真吾
日本百名虫　ドラマティックな虫たち　坂爪真吾
テクノ・リバタリアン　橘　玲
脳は眠りで大進化する　上田泰己

◆アジアの国と歴史

韓国併合への道 完全版　呉 善花
侮日論　呉 善花
韓国「反日民族主義」の奈落　呉 善花
韓国を支配する「空気」の研究　牧野愛博
金正恩と金与正　牧野愛博
「中国」という神話　楊 海英
独裁の中国現代史　楊 海英
ジェノサイド国家中国の真実　于田ケリム　楊 海英
劉備と諸葛亮　柿沼陽平
王室と不敬罪　岩佐淳士
キャッシュレス国家　西村友作
性と欲望の中国　安田峰俊
戦狼中国の対日工作　安田峰俊
日本の海が盗まれる　山田吉彦
インドが変える世界地図　広瀬公巳
反日種族主義と日本人　久保田るり子
三国志入門　宮城谷昌光
ラストエンペラー習近平　エドワード・ルトワック　奥山真司訳
韓国エンタメはなぜ世界で成功したのか　菅野朋子
日中百年戦争　城山英巳
第三の大国 インドの思考　笠井亮平
『RRR』で知るインド近現代史　笠井亮平
中国「軍事強国」への夢　峯村健司監訳　劉 明福　加藤嘉一訳
台湾のアイデンティティ　家永真幸
日本人が知らない台湾有事　小川和久
中国不動産バブル　柯 隆

◆さまざまな人生

生きる悪知恵　西原理恵子
男性論 ECCE HOMO　ヤマザキマリ
それでもこの世は悪くなかった　佐藤愛子
僕たちが何者でもなかった頃の話をしよう　山中伸弥・羽生善治・是枝裕和・山極壽一・永田和宏
続・僕たちが何者でもなかった頃の話をしよう　池田理代子・平田オリザ・彬子女王・大隅良典・永田和宏
安楽死で死なせて下さい　橋田壽賀子
一切なりゆき　樹木希林
天邪鬼のすすめ　下重暁子
さらば！ サラリーマン　溝口 敦
私の大往生　週刊文春編
昭和とわたし　澤地久枝
それでも、逃げない　三浦瑠麗　乙武洋匡
知の旅は終わらない　立花 隆
死ねない時代の哲学　村上陽一郎
イライラしたら豆を買いなさい　林家木久扇
老いと学びの極意　武田鉄矢

在宅ひとり死のススメ　上野千鶴子
最後の人声天語　坪内祐三
なんで家族を続けるの？　内田也哉子・中野信子
百歳以前　徳岡孝夫・土井荘平
迷わない。完全版　櫻井よしこ
東大女子という生き方　秋山千佳
毒親介護　石川結貴
トカイナカに生きる　神山典士
美しい日本人　文藝春秋編
70歳からの人生相談　毒蝮三太夫
ペットロス　伊藤秀倫
ヤメ銀　秋場大輔

◆食の愉しみ

発酵食品礼讃　小泉武夫
発酵食品と戦争　小泉武夫
毒草を食べてみた　植松　黎
中国茶図鑑　工藤佳治・俞向紅　丸山洋平・写真
チーズ図鑑　文藝春秋編
食の世界地図　21世紀研究会編
一杯の紅茶の世界史　磯淵　猛
辰巳芳子　スープの手ほどき　和の部　辰巳芳子
辰巳芳子　スープの手ほどき　洋の部　辰巳芳子
新版　娘につたえる私の味　一月〜五月　辰巳浜子・辰巳芳子
新版　娘につたえる私の味　六月〜十二月　辰巳浜子・辰巳芳子
小林カツ代のお料理入門　小林カツ代
一生食べたいカツ代流レシピ　小林カツ代・本田明子
歴史の中のワイン　山本　博
農業新時代　川内イオ
農業フロンティア　川内イオ

世界珍食紀行　山田七絵編
ルポ　食が壊れる　堤　未果
80代現役医師夫婦の賢食術　家森幸男
美味しいサンマはなぜ消えたのか？　川本大吾